CONQUISTE O CORAÇÃO DE SEU FILHO

CONQUISTE O CORAÇÃO DE SEU FILHO

Nove maneiras de construir uma relação
saudável e duradoura

—

MIKE BERRY

Traduzido por Luciana Chagas

Copyright © 2018 por Mike Berry
Publicado originalmente por Baker Publishing Group, Grand Rapids, Michigan, EUA.

Os textos das referências bíblicas foram extraídos da *Nova Versão Transformadora* (NVT), da Tyndale House Foundation, salvo indicação específica.

Todos os direitos reservados e protegidos pela Lei 9.610, de 19/02/1998.

É expressamente proibida a reprodução total ou parcial deste livro, por quaisquer meios (eletrônicos, mecânicos, fotográficos, gravação e outros), sem prévia autorização, por escrito, da editora.

Edição
Daniel Faria

Preparação
Natália Custódio

Produção e diagramação
Felipe Marques

Colaboração
Ana Luiza Ferreira

Capa
Jonatas Belan

CIP-Brasil. *Catalogação na publicação*
Sindicato Nacional dos Editores de Livros, RJ

B453c

Berry, Mike
  Conquiste o coração de seu filho : nove maneiras de construir uma relação saudável e duradoura / Mike Berry ; tradução Luciana Chagas. - 1. ed. - São Paulo : Mundo Cristão, 2021.
  224 p.

  Tradução de: Winning the heart of your child
  ISBN 978-65-5988-006-5

  1. Paternidade. 2. Pais e filhos. 3. Pais adotivos. 4. Relações interpessoais. 5. Parentalidade. I. Chagas, Luciana. II. Título.

21-71087
CDD: 306.874
CDU: 316.47:392.3-055.52-055.6

Categoria: Família
1ª edição: agosto de 2021

Publicado no Brasil com todos os direitos reservados por:

Editora Mundo Cristão
Rua Antônio Carlos Tacconi, 69
São Paulo, SP, Brasil
CEP 04810-020
Telefone: (11) 2127-4147
www.mundocristao.com.br

Para Rachel, Krystal, Noelle, Jaala, Andre,
Elisha, Jacob e Samuel.
Vocês me deram o maravilhoso presente da paternidade,
e sempre serei grato por isso.
Com tudo o que sou,
amo profundamente cada um de vocês.

Sumário

Agradecimentos   9
Introdução: Do meu coração para o seu, e assim conquistaremos o coração deles   15

PARTE I: O GRANDE EQUÍVOCO

1. Ganhar a discussão à custa do coração   23
   Você está escolhendo bem suas lutas?
2. Estabelecendo limites amorosamente   31
   Uma atitude essencial para exercer boa influência sobre os filhos
3. O que há em comum entre *Gilmore Girls*, *Um duende em Nova York*, a Sargento Megera e o inspetor escolar de *De volta para o futuro*?   43
   Como não educar um filho
4. Irmãs malvadas   55
   Definindo um novo padrão parental

PARTE II: EDUCAR PARA CONQUISTAR

5. Minha sogra me ensinou tudo o que sei sobre influência   71
   Dica 1: Influencie combinando amor e disciplina
6. Você ainda está no páreo   79
   Dica 2: Saiba o que é a Grande Guinada e acolha-a
7. É preciso aumentar sua rede de influência   89
   Dica 3: Busque outras vozes influentes
8. O tempo não é seu aliado   99
   Dica 4: Use o tempo com sabedoria

9. De corpo e alma 115
   Dica 5: Mantenha-se comprometido com seus filhos
10. Prefiro ser a tartaruga 123
    Dica 6: Seja consistente
11. Hollywood mentiu para você! 135
    Dica 7: Ame a despeito de qualquer coisa
12. O maior inimigo de quem tem filhos 155
    Dica 8: Dê atenção ao que é verdadeiro a seu respeito
13. Sobre lápides e saladas de batatas 165
    Dica 9: Deixe um legado duradouro

PARTE III: SEGUINDO ADIANTE

14. Os sapatos que os pais devem calçar 179
    O conceito de bom pai e boa mãe
15. Com os olhos no prêmio 193
    A parentalidade é um investimento de longo prazo
16. A direção determina qual será o destino 203
    Indo além das boas intenções
17. Faça valer a pena 211

Notas 217

Agradecimentos

Desde 2016 venho trabalhando como autor em tempo integral, e nesse tempo me dei conta de quantas pessoas são necessárias para produzir um livro. Há tanta gente a quem sou grato que seria possível compor todo um volume só com esses nomes.

Para começar, quero agradecer a Chad Allen: este livro não existiria se não fosse por você, meu amigo. Obrigado por essa oportunidade, por acreditar em mim e no que tenho a dizer. Serei eternamente grato por isso.

Também agradeço a Brian Smith. Você me desafiou a ir além dos meus limites, ainda que às vezes eu não gostasse nem um pouco disso. Esses desafios aperfeiçoaram minha escrita, e sinto imensa gratidão.

Jim Hart, entre os muitos *e-mails* recebidos por agentes literários, você escolheu não só ler os meus, mas também responder a eles. E fez isso quando estava prestes a viajar com a família. Um milhão de "obrigados"!

Chad Cannon, sua mentoria, seus *insights* e sua amizade moldaram minha vida. Graças a você, estou realizando meu sonho.

Michael Hyatt, Megan Hyatt Miller, Mandi Rivieccio e Brandon Triola, o apoio e a generosidade de vocês me trouxeram até aqui. Jamais poderia agradecer o suficiente o que ofereceram a nós muitos anos atrás e continuam oferecendo ao mundo! Este livro também existe por influência de vocês.

Jeff Goins, o simples fato de você ter escolhido, aleatoriamente, responder a um *e-mail* meu anos atrás foi um dos maiores presentes que já recebi. Depois, você me precedeu na abertura da Tribe Conference em 2016, quando contou minha história. Aquilo foi muito gentil. Celebro sua amizade e a confiança que tem em mim. Você é um amigo de primeira!

Jason e Alison Morriss, muito mais do que vocês possam imaginar, Kristin e eu honramos sua amizade e camaradagem. Precisamos marcar um novo passeio por Austin, Texas. Vamos dar um jeito nisso!

Andrew e Michele Schneidler, muito do que desfrutamos hoje em nossa vida profissional devemos à confiança que depositaram em nós. Não dá para medir o valor da amizade de vocês e das muitas risadas que demos juntos.

Andrew e Jason, obrigado pelas muitas mensagens e conversas tarde da noite; elas preservaram minha sanidade! Nossa parceria é muito valiosa.

Irmãos do Road Trip espalhados por todo o país, aprendi tanto com vocês! Eu os amo demais! Já é hora de escalar outras montanhas para ver o sol nascer!

Família da Refresh — David, Carrie, Allen, Angelina, Milie, Jyoti, Jenn e Josh —, receba meu maior amor e gratidão. Vocês tornaram essa jornada divertida!

Família da Christian Alliance for Orphans (CAFO) — Jedd, Elizabeth e Amy —, o apoio de vocês foi tudo!

David Enge e Mike Gallagher, ainda não acredito que escolheram contribuir com o nosso trabalho, apoiando-nos mesmo antes de nos conhecer. Puxa, eu os amo muitíssimo! Boa parte deste livro foi escrita em sua casa, Mike, em Kona, Havaí, com aquela bela vista para o Pacífico. Sorrio toda vez que leio o trecho redigido ali. Vocês estão entre as pessoas mais generosas que conheço. Muito obrigado!

Peter e Krista Baughn e Jesse e Andrea DeBoer, que foram alguns dos meus maiores apoiadores e incentivadores: Kristin e eu somos inundados de alegria sempre que pensamos em como essa amizade com vocês começou e em como ela tem crescido com o passar dos anos. Este livro é para vocês, que conquistaram o nosso coração para sempre.

Tony Wolf, meu amigo careca e bonitão! Minha vida mudou em 2014, quando fui demitido do meu "verdadeiro" emprego e você disse que não lamentava nem um pouco, pois aquilo era como uma carta branca para que eu enfim cumprisse minha missão de escritor. Você estava certo! Obrigado, obrigado e obrigado!

Minha incrível equipe na comunidade Oasis e no *blog Confessions of an Adoptive Parent* [Confissões de um pai adotivo] — Michelle, Jen, Jeff, Beaver e Karen —, vocês são os melhores! Sou eternamente grato por poder trabalhar ao lado de vocês todos os dias. Agradeço por acreditarem em nossa missão e trabalharem de maneira incansável para garantir que pais e mães espalhados por todo o mundo recebam carinho e amor.

Matt McCarrick, não sei nem por onde começar! Meras palavras não seriam suficientes. Que jornada incrível e maluca temos partilhado desde 2001! Obrigado por seu suporte e parceria. Acima de tudo, obrigado por sua sólida amizade. Este é só o início, cara!

Nate Kreger, sua inteligência, sua capacidade e sua confiança em nosso trabalho nos ajudaram a levar esperança a milhões de pais e mães ao redor do planeta. Se não fosse por você, não teríamos chegado tão longe. Sou grato por seu trabalho árduo e por sua amizade.

Darren Cooper, obrigado pelos ótimos papos e pela amizade de anos. Seu melhor está por vir, amigo!

Jackie Bledsoe, obrigado pelos conselhos inestimáveis de anos atrás; eles muito nos motivaram a redefinir nossa plataforma, e até me ajudaram a finalizar este livro. Agradeço muito, meu amigo!

John, Nicole, Ryan e Megan, meus eternos irmãos e irmãs, não sou capaz de me imaginar vivendo sem vocês e seus filhos incríveis. Na maioria dos dias, são vocês que nos mantêm sãos, ativos, motivados e vivos. Vocês nos acompanharam em cada ideia maluca que tivemos e nunca manifestaram nenhuma incredulidade. Kristin e eu amamos vocês mais do que podem imaginar. John e Ryan, devo registrar as muitas conversas para lá de profundas, as idas ao Flix Brewhouse para assistir aos filmes da Marvel, e as viagens de carro para os *shows* do U2. Vocês são meus irmãos e meus melhores amigos!

Mamãe e Papai, obrigado por me deixarem livre para ser quem sou, mesmo nas vezes em que isso parecia confuso ou esquisito. Vocês literalmente fizeram de mim quem sou hoje. Dana, obrigado por me amar quando não fui um bom irmão mais velho. Você e Peter sempre terão meu amor!

Meus segundos pais, Bob e Jenifer Schultz, obrigado por serem os melhores sogros que eu poderia ter. Sua bondade e sua confiança em Kristin e em mim são verdadeiros presentes, e sou grato a vocês por isso. Meus outros irmãos e irmãs — Rebecca, Josh, Rob, Derek, Ali e Jenny —, vocês são essenciais para mim, e eu agradeço por tê-los em minha vida.

Ao fantástico time de editores do Baker Publishing Group: sou simplesmente fascinado pela generosidade dessa equipe, por acreditarem tanto neste livro e neste autorzinho pé de chinelo do interior de Ohio. Muito obrigado a todos vocês!

Betty McKinney, que me deu aulas de jornalismo no ensino médio e já foi para o céu. Sei que você pode contemplar este trabalho e que sorri ao fazê-lo. Obrigado por jamais ter desistido de mim e nunca ter reprimido minha insensatez quando eu frequentava suas aulas. Sua influência moldou quem sou e o que faço hoje.

E, finalmente, minha preciosa esposa, Kristin, que há mais de vinte anos tem seguido ao meu lado nos bons e nos maus momentos. Você é a pessoa mais incrível que conheço, sempre graciosa, compassiva, criativa e amável. Obrigado por não desistir de mim. E meus belos, formidáveis, divertidos e preciosos filhos e netos: Rachel (com meu genro, Rich, e meu neto, Thomas), Krystal (com seu noivo, Tyler, e meus netos, Layla e Liam), Noelle, Jaala, Andre, Elisha, Jacob e Samuel, vocês me enchem de luz e gratidão todos os dias. Sem vocês, eu não seria nada. Agradeço do fundo do meu coração! Com amor, Papai.

Introdução

*Do meu coração para o seu, e assim
conquistaremos o coração deles*

Dez anos.

Eu costumava pensar que dez anos era muito tempo. Quando tinha 10 anos, achava que levaria uma eternidade para chegar aos 20. Quando completei 20, alcançar os 30 parecia uma jornada infinita. Então, cheguei aos 30... Bem, já deu para captar meu raciocínio.

Agora, aos 41 anos, já não acho dez anos um intervalo assim tão longo. Ou melhor: eu *sei* que não é um intervalo longo. Um dia desses, minha esposa Kristin e eu nos demos conta de que, muito provavelmente, estaremos com o ninho vazio em 2030. São onze anos contados a partir do momento em que escrevo! Isso não é muito tempo. Ontem mesmo comprei fraldas para minha caçula. Hoje estou comprando um carro para ela. Ao que parece, falta bem pouco para que Kristin e eu nos mudemos para o "condomínio do ninho vazio".

Esta é minha situação agora: somos pais de oito, e todos chegaram a nós pela via da adoção. Durante os nove anos em que participamos de um programa de acolhimento familiar, cuidamos de 23 pessoas, de recém-nascido a aluno do ensino médio. Minha jornada como pai soma dezesseis anos, e hoje cuido de jovens e crianças que chegaram bem pequenos até nós; além disso, já orientei centenas de milhares de pais e mães quando pastoreei famílias e também agora, como consultor familiar e palestrante. Kristin e eu criamos um *blog* que registra mais de cem mil acessos por mês, com leitores em diversos países. Nas inúmeras conversas que tive com pais e mães, ninguém afirmou desejar que o tempo passasse mais rápido. Todos querem que ele se demore, ou sonham com a ideia de poder recuperar ao menos uma parte do tempo que já se foi.

Vejo diariamente quão rápido o tempo avança. Muitas vezes, sinto-me como se tivesse acordado no finalzinho de uma partida de futebol e descobrisse que tenho apenas dois minutos de acréscimo nessa coisa chamada parentalidade. Isso leva à pergunta: "O que vou fazer com o pouco de tempo que ainda tenho com meus filhos?".

Em 2002, nasceu minha primeira filha. Passei as primeiras semanas atordoado, sobretudo porque o processo de adoção levou menos de três meses. Não houve aviso médico confirmando a gravidez sete ou oito meses antes do parto, nem imagens de ultrassom exibidas aos familiares. Nada dessa coisa de oito meses de preparo material e mental à medida que a gestação avançava — reformar um cômodo da casa, comprar o enxoval, festejar com um chá de bebê. No melhor dos cenários, foi uma paternidade relâmpago. Quando olho em retrospectiva, sinto imensa gratidão. Na época, porém, eu não tinha noção nenhuma, não apenas como pai, mas também em relação ao tempo. Eu achava que o tinha de sobra!

Eu estava com vinte e poucos anos, e havia três que exercia o pastorado. Quando nossa filha chegou, Kristin e eu não tínhamos completado dois anos de casados e trabalhávamos em tempo integral. A demanda era alta na congregação em que eu servia. Jovem e ávido por provar a mim mesmo que era capaz, enchia a agenda com o máximo de compromissos.

Não queria que ninguém pensasse que eu fazia corpo mole, então me convenci de que tinha de atender a tudo que me pediam, independentemente de quanto isso me privasse de estar com minha esposa e, depois, com nossa filha recém-nascida.

Eu trabalhava numa igreja suburbana que pouco tempo antes havia erguido um novo templo, num bairro em expansão. Então, dá para imaginar que ralei muito ali. Congresso de jovens? "Põe na agenda." Retiro? "Pode incluir." Liderança estudantil? "Inclua também." Eu me comprometia cada vez mais até que a única noite livre de que dispusesse fosse a de sábado. Até nas minhas possíveis folgas eu agendava alguma coisa, acreditando que era isso o certo a se fazer. Tem mais: eu achava que, sendo ainda bebezinha, minha filha precisava menos de mim do que precisaria futuramente (e, por consequência, minha esposa também).

E hoje pela manhã, dezesseis anos depois, levei minha filha para seu primeiro dia no ensino médio. Ela saiu do carro, avistou os amigos e logo correu para abraçá-los, deixando-me para trás. Para ela, isso não era nenhum problema, nada proposital. Ainda é uma menina e, no entanto, é também uma jovem mulher. "Quando foi que o tempo passou?", sussurrei para mim mesmo enquanto a via se juntar aos demais. Senti uma leve dor no coração e, com o celular, aproveitei para tirar uma foto da minha garota. Então ela sumiu.

"Ah, tempo, vá devagar, por favor", implorei em silêncio. "Meu coração fica ferido cada vez que penso na velocidade com que você voa."

Escrevo as páginas deste livro desejando poder voltar no tempo e sussurrar algumas verdades à versão mais jovem de mim mesmo. Agora entendo o que realmente significa ser pai, isto é, quão importante é compreender a influência que pais e mães exercem e como guiar e amar os filhos da melhor maneira possível. Este também é um pedido que lhe faço: por favor, entenda que o tempo corre mais rápido do que você imagina. Antes que você se dê conta, esse bebê, essa criancinha, esse pré-adolescente ingressará no ensino médio, e de repente você descobrirá que já não há tanto tempo assim.

O que vem pela frente

Ao longo destas páginas, procuro ajudá-lo a entender alguns conceitos fundamentais. Na Parte I, explico algumas razões por que acredito que, quando o assunto é parentalidade, nossa abordagem inicial é equivocada. Na Parte II, apresento nove dicas para você aprender e aplicar caso deseje conquistar o coração de seu filho. São práticas imprescindíveis para quem quer desfrutar do melhor relacionamento que pode ter com os filhos, em especial quando estes forem adolescentes e até mesmo quando chegarem à idade adulta. Na Parte III, analiso as características de um relacionamento duradouro com um filho, levando em conta como se inicia esse relacionamento e como se pode preservá-lo.

Por meio deste livro, vou conduzir você pelas minuciosas engrenagens da relação parental, mostrando como aprimorar seu jeito de educar seus filhos e de interagir com eles. Isso tudo será feito com base nos três princípios centrais da parentalidade:

1. *Entenda a influência que você exerce.* Você é a voz mais importante para seu filho. Há quem possa duvidar disso, mas peço que confie em mim. Seu filho escuta você, observa você, acredita em você. Por vezes, isso pode não parecer verdadeiro caso outras vozes soem mais altas que a sua,

mas o fato é que você ocupa uma posição de especial influência sobre seu filho. A chave é saber usá-la de maneira adequada.

2. *Mude de perspectiva quanto à criação de filhos.* Acredite ou não, sua função principal *não* é ensinar. Veja, eu disse "função *principal*". Sim, ensinar é uma função sua, mas não a primeira nem a mais importante.

3. *Lute pelo que mais importa.* Quando discutirmos as nove dicas para construir um relacionamento positivo e duradouro com os filhos, ficará claro como a influência bem exercida (princípio 1) e a autoridade dada por Deus (princípio 2) capacitam você a conquistar, de maneira saudável, o coração deles.

Esperança para todos que têm filhos

Escrevo este livro tendo em mente dois tipos de pais e mães. Em primeiro lugar, dirijo-me àqueles cujos filhos são pré-adolescentes ou adolescentes. Você acha que seu filho não escuta absolutamente nada do que você diz. Sei disso porque já estive na sua pele muitas vezes. Meu desejo é que, nestas páginas, você encontre uma nova percepção acerca da influência que tem sobre seu filho e descubra uma maneira de promover o melhor relacionamento que possa ter com ele. Que você compreenda quão importante é a sua voz nessa fase da vida de seu filho ou filha. Que aprenda a exercer essa influência de forma especial e inovadora, e que isso lhe garanta recompensas mais preciosas que o ouro. Que ajuste sua conduta a fim de que o alvo não seja meramente ganhar uma discussão ou forçar sua opinião goela abaixo, mas sim conquistar o coração de seu filho.

Segundo, escrevo para pais e mães de recém-nascidos, crianças que estão começando a dar os primeiros passos, meninos e meninas em idade pré-escolar ou nos anos iniciais do ensino fundamental. Pode ser que você tenha certeza de que dispõe de todo tempo do mundo, e por isso não esteja dando real atenção às oportunidades que tem com seu filho. Minha oração é que este livro o prepare para o que está por vir e o ajude a decidir desde já aquilo pelo que vale a pena lutar: conexão e bom relacionamento, tanto agora como no futuro. Que você se sinta advertido de que o tempo se move na velocidade da luz e não espera por ninguém. Não se sinta desencorajado. Minha intenção não é alarmá-lo, mas oferecer a você um bom conselho. Quero ajudá-lo a alcançar duas coisas: aproveitar ao máximo o tempo com seu filho e usar melhor sua influência como pai ou mãe.

Está pronto para começar? Eu estou!

Vamos falar de influência parental saudável e de como lutar pelo que mais importa: o coração de seu filho!

PARTE I
O GRANDE EQUÍVOCO

1
Ganhar a discussão à custa do coração

Você está escolhendo bem suas lutas?

"Por vezes, facilmente nos esquecemos de que é possível vencer uma discussão e forçar a boa conduta à custa de perder o coração."[1]

Essa afirmação de Carey Nieuwhof, no livro *Parenting Beyond Your Capacity* [Extrapolando sua capacidade de criar filhos], redigido em parceria com Reggie Joiner, me atingiu em cheio. Era uma fria manhã em Indiana, e eu estava numa cafeteria, lendo sob uma luminária, enquanto executivos entravam rapidamente no estabelecimento e saíam com seus cafés e lanches, a caminho do trabalho. De imediato me lembrei da discussão que tivera na noite anterior com minha filha de 11 anos. As palavras que proferi ecoaram em minha mente — cada sílaba que me pareceu certeira, cada fato conclusivo que fizera minha filha retroceder e se colocar em seu lugar, elevando-me à categoria de gênio que tudo sabe e tudo vê, o pai com quem ela não teria nenhuma chance de argumentar. Passei muitos anos acreditando que ganhar as disputas era uma forma de deixar uma boa e indelével impressão em meus filhos. Mas, naquela manhã, eu me vi acusado. Pela primeira vez, percebi o grande abismo que se abria entre mim e eles.

Identifiquei-me com a explicação de Nieuwhof sobre a dinâmica interna que o impela a buscar a vitória: "Assim como tantos pais, eu me sinto ferido quando desafiam minha autoridade. Há em mim algo que me impulsiona a entrar em combate para vencer a disputa, acabar com a rebeldia e provar que estou no comando".[2] Opa! Isso me descreve perfeitamente. Afinal, fui criado desse jeito. Era dessa forma que meus pais lidavam com minhas discordâncias e rebeldia cada vez que eu cruzava os limites determinados por eles.

Sinto-me retrair enquanto escrevo estas palavras. Eu estava redondamente enganado. Ainda consigo me recordar da minha garotinha ali parada, perplexa, à medida que eu dominava a conversa, interrompendo-a, recusando-me a deixá-la falar, colocando um enorme obstáculo entre o coração dela e o meu. Então, ela passou a prever que Kristin e eu agiríamos dessa forma, e começou a silenciar.

Agora ali estava eu, sentindo-me culpado ao ler que "é possível vencer uma discussão [...] à custa de perder o coração". Era exatamente o que acontecia cada vez que nossa menina nos aborrecia ou discordava de nós. Deus deu uma voz a cada criança, mas éramos ágeis em silenciar nossa filha. Só nos empenhávamos em provar que ela estava errada e em sair vitoriosos naquilo que julgávamos mais importante: a discussão. Perdemos de vista o que de fato importava: *seu coração*. Não percebíamos que, na busca por dominar toda e qualquer conversa, esmagávamos o espírito frágil daquela criança em fase de aprendizado e crescimento.

Circunstâncias do passado de nossa filha também contribuíam para suas reações. Nós a havíamos adotado algum tempo antes, quando tinha 3 anos, depois de já ter passado por duas adoções. Ela vinha de um contexto de trauma, então não era de surpreender que relutasse em nos reconhecer como pai e mãe. Havia aprendido a se fechar em situações de conflito, num mecanismo de defesa, e lutava para conseguir articular pensamentos e sentimentos. Dentre as opções de que dispunha — enfrentar, fugir ou paralisar —, ela escolhia paralisar. Isso tornava as coisas muito fáceis para dois primogênitos obstinados, que não tinham nenhum histórico de trauma: provávamos nossos argumentos e vencíamos as disputas. Mas aquilo era errado. Não tínhamos ideia do que estávamos fazendo com a nossa pequena.

Daí o remorso, a culpa e a vergonha que senti na cafeteria. Sentado sozinho, eu limpava minhas lágrimas entre um gole de café e outro, num súbito reconhecimento do que aquela insaciável necessidade de estar certo causava à minha filha. Se ela tivesse um telefone celular à época, eu a teria enchido de mensagens com pedidos de desculpas. Senti-me tentado a dirigir por meia hora até a escola dela e tirá-la da aula somente para dar-lhe um forte abraço.

Por que temos de ganhar sempre?

É difícil nos culparmos por cair na armadilha de achar que estamos sempre certos nas discussões e em outras situações que envolvam nossos filhos. Ao ler este trecho, você pode estar sentindo a mesma culpa ou vergonha que experimentei naquela manhã. Talvez se dê conta de que vem caindo na mesma cilada de ter de vencer sempre, provar que seu filho está errado e empenhar-se em provocar uma reação que demonstre que vocês estão se entendendo. Não se puna por isso. Ser pai e mãe não é tarefa fácil, e gastamos boa parte de nosso tempo tentando descobrir como nos relacionar com nossos filhos. Então, num piscar de olhos, eles passam para outro estágio. Temos de ajustar ou reaprender tudo o que achávamos que sabíamos, em especial com relação a adolescentes e, ainda mais, com os que se revelam bem durões. Além disso, muitos de nós crescemos numa época em que a disciplina era imediata e a vara nunca era poupada. Ou tivemos pais que adoravam passar um sermão. (Assim foi a minha infância, e também a de minha esposa.) Portanto, é razoável que eduquemos os filhos com base nos métodos com que estamos familiarizados. Nós discursamos, instruímos, ensinamos e não damos espaço para nenhuma negociação. Nossos pais agiram dessa maneira conosco, e funcionou (na maioria dos casos). Mas há um modo melhor de lidar com os filhos.

A questão é: não precisamos ganhar todas as disputas. Percebe que "ganhar tudo" implica o risco de perder o coração dos filhos? Se a intenção é sempre ter razão, sempre provar nossos ponto de vista, sempre fazer do nosso jeito e não abrir nenhuma oportunidade à voz deles, cria-se então um novo perigo. Não damos chance para que o coração de nossos filhos cresça e floresça. E mais: ensinamos-lhes que eles não têm voz nem vez.

Quando eu era criança, meu pai frequentemente ficava bravo e fazia questão de ter a última palavra em tudo. Isso me ensinou duas coisas. Em primeiro lugar, eu precisava vigiar tudo o que dizia ou fazia, pois a qualquer momento poderia causar uma confusão. Passei a maior parte da infância andando nas pontas dos pés para evitar despertar aquele urso. Todos os dias, minha irmã e eu mirávamos o relógio, sabendo o exato instante em que Papai chegaria em casa. Tínhamos de nos certificar de que os brinquedos estavam organizados. Nada, nada mesmo, podia ficar fora do lugar. Qualquer deslize provocaria uma reprimenda, um rompante ou um discurso inflamado e depreciativo. E mesmo que tudo estivesse em ordem, era possível que fôssemos repreendidos. Terrível ter de passar por uma infância como essa, mas era assim que vivíamos.

Segundo, a atitude dominadora do Papai me ensinou a manter a boca fechada: era melhor ficar quieto e esperar até que o sermão terminasse. Se fosse para dizer alguma coisa, o melhor a fazer era concordar com ele. Meu pai precisava ter a última palavra; então, para que contrariá-lo? Em razão disso, levei para a vida adulta uma inabilidade para defender meu ponto de vista. Também tive de lidar com uma grande insegurança e um senso de inadequação. Até hoje, na casa dos quarenta, luto contra essas coisas de tempos em tempos. Meu pai de fato venceu todas as disputas, mas perdeu meu coração. Somente depois que me tornei adulto foi que demos um jeito em nosso relacionamento. Agora nos damos bem, mas durante muito tempo não foi assim.

Qualquer que seja a fase — infância, pré-adolescência ou adolescência —, o coração de nossos filhos é frágil. Não se engane quanto a isso. Sim, eles são resilientes, mas a capacidade que têm para se recuperar é limitada. Com tanta coisa a se levar em conta, perdemos muito em decorrência de nossa insaciável necessidade de vencer. Nossos filhos de fato precisam de limites (falaremos sobre isso adiante), e é bom estabelecer regras. De modo nenhum a intenção de conquistar o coração deles (em vez de ganhar as disputas) implica que podem dizer e fazer o que bem entendem. Há lugar e hora para a disciplina, especialmente quando as escolhas deles revelam imprudência. Entretanto, devemos prestar mais atenção ao *por que* subjacente à disputa e ao que verdadeiramente está em jogo.

Saiba escolher suas vitórias

Neste livro, quero abordar a parentalidade sob um prisma diferente — uma mudança de paradigma. Depois de quase duas décadas no papel de pai e também de conselheiro para muitos pais e mães, e agora, escrevendo e falando para centenas de milhares deles espalhados pelo país, acredito que essa nova abordagem seja o caminho mais saudável para, um dia (friso: *um dia*), desfrutar um relacionamento duradouro com os filhos.

Quando focamos apenas a vitória nas disputas, é possível que estejamos priorizando nossa função de ensinar, e fazemos isso com boas intenções. Como expliquei, devemos ensinar nossos filhos, mas devemos priorizar outras funções que também cabem a nós, como ouvi-los e preservar o coração deles. Não se constrói uma parentalidade positiva e bem-sucedida apenas com base em aparente mudança de comportamento. Nada pode ser menos autêntico que isso. A parentalidade sadia e exitosa é construída a partir de um apurado foco no coração, de modo a garantir que a comunicação deixe claro aos nossos filhos que, acima de tudo, eles são valorizados, amados e estimados.

Eu adoraria voltar no tempo e mudar aqueles instantes em que agi mal com minha filha. Porém, tudo o que posso fazer é mudar minha postura daqui para a frente. Ainda mais importante é mudar minhas *intenções*. Ela precisa de uma mãe e de um pai que a apreciem. Ela precisa de um pai que, a despeito das circunstâncias, a faça sentir-se valorizada, mesmo que o tenha desapontado por causa de uma má escolha.

Recentemente, nossa filha fez algo pelo que precisava se responsabilizar. Ela tomou uma decisão não apenas ruim, mas perigosa. Em outras épocas, aquilo teria deixado Kristin e eu prontos para o ataque: esperaríamos ansiosos que nossa filha chegasse da escola, como o caçador que fica à espreita aguardando a presa. Minha fala pode soar um tanto dramática, mas, lamentavelmente, devo dizer que está bem próxima da realidade. Ainda bem que conversamos durante o almoço e optamos por uma conduta mais sensata: "Quando ela chegar em casa, vamos nos sentar com ela e assegurá-la novamente do nosso amor. Vamos esclarecer com precisão o motivo pelo qual essa foi uma escolha infeliz, apresentar as consequências e pronto. Nada de sermões ou longas explicações". E assim foi; dissemos que a amávamos e demonstramos esse amor por meio de ações. E por que dessa forma tão breve e simples? Porque o coração de nossa filha é mais importante do que a vitória em uma disputa acirrada. Nossa antiga maneira de educar era perigosa.

Métodos nocivos podem modificar a postura externa de nossos filhos, mas a custo de quê? O que perdemos quando saímos vitoriosos? "Muito" é a minha resposta. Acredito em uma conduta parental que influencie positivamente os filhos, a despeito da fase pela qual estejam passando; uma conduta que ganhe o coração deles. Tem a ver com nosso tom de voz, nossas atitudes e nossas intenções.

Enquanto lia *Parenting Beyond Your Capacity* naquela manhã gelada, com o coração pesaroso, pela primeira vez notei como minhas palavras soavam condenatórias para minha filha. Foi quando comecei a mudar.

Quem sabe esse não seja um começo para você também? Talvez, depois da leitura deste capítulo, você esteja se sentindo acusado como eu. E está tudo bem. Nem eu nem você podemos mudar o passado. Mas você pode mudar seu presente e seu futuro. Procure deixar o remorso e a vergonha de lado e olhar para sua jornada como pai ou mãe pelas lentes da esperança e de uma nova postura. A mudança começa aqui e pode transformar para sempre o modo como você lida com seus filhos.

PAUSA PARA REFLEXÃO

1. O que era prioritário para seus pais: ganhar as discussões que tinham com você ou conquistar seu coração?
2. Qual dessas duas abordagens tem sido prioritária em seu relacionamento com seus filhos?
3. De que maneira inovadora você pode enfatizar quanto ama seus filhos e reforçar quanto os valoriza?
4. O que essa nova postura requer que você *pare* de fazer ou faça menos vezes?

2

Estabelecendo limites amorosamente

*Uma atitude essencial para exercer
boa influência sobre os filhos*

Como um prédio que desmorona, ela desabou sobre o sofá que fica em meu escritório. Vieram as lágrimas e, com os olhos fitos no chão, ela fungou. O marido suspirou, tirou o casaco e se sentou perto dela, segurando-lhe a mão com firmeza.

— Está tudo bem — afirmei gentilmente. Balancei o corpo em minha poltrona preta e macia, observando os dois bem de perto.

Por algo que pareceu durar uma hora, ninguém disse uma palavra sequer. Eu sabia a razão de terem me telefonado. Eu era a última esperança que tinham, o último fio antes que o cordão se rompesse e ambos decidissem desistir. Eles haviam procurado aconselhamento em nossa igreja, falado com um mentor escolar e desembolsado dinheiro com alguns terapeutas. Estavam desesperados, perdidos, cada vez mais próximos do total desalento.

Nada conseguia alcançar o filho deles. Durante o ensino fundamental, ele obtivera apenas notas máximas na escola. Os professores elogiavam sua conduta ética, seu empenho em ajudar os outros, a preocupação com os colegas e o bom temperamento. Então, tudo mudou. As notas despencaram. O garoto se tornou frio e ensimesmado, avesso até mesmo a ajudar a irmã mais nova. Respondia a tudo com apatia e se mostrava completamente desconectado dos pais. Faria 16 anos dali a um mês, e o casal temia o que ele seria capaz de fazer quando tivesse em mãos uma carteira de motorista.

Todo dia depois da escola a coisa se repetia: descer do ônibus, calar-se diante dos efusivos cumprimentos da mãe, colocar os fones de ouvido e silenciar o mundo exterior. Vinha sendo assim havia semanas.

Quando conseguiam fazê-lo juntar-se às atividades em família, ele logo se retirava ou se tornava negativo. Perguntei se ele chegara a expressar pensamentos suicidas ou a se automutilar, mas os pais me garantiram que não.

Em dado instante, a mãe deu vazão às lágrimas represadas, que lhe cobriram as bochechas. A mulher reclinou a cabeça sobre o ombro do marido, em profundo desamparo. Estendi a ele o lenço de papel. O homem abraçou a esposa e a tranquilizou.

Então a mulher disse algo que ouvi centenas de vezes:

— O que aconteceu com o meu bebê? Ele está tão mudado! Não é mais aquele menininho que tenho na memória. Sinto como se o estivesse perdendo.

Naquele momento, notei que era hora de agir com amorosidade e ajudá-los a ver a situação sob outra perspectiva. Sugeri:

— Contem-me sobre como era antes, quando ele tinha 5, 6, 7 anos. Como era a relação de vocês naquela época?

Os dois se entreolharam com cumplicidade e, hesitante, ela comentou:

— Nunca negamos nada a ele, receosos de que a frustração o prejudicasse. Eu não suportava vê-lo contrariado. Não queria que ele sofresse e, assim, o criei em uma grande bolha. Reconhecia que aquilo não era certo, mas não sabia fazer diferente.

— E agora que ele é um adolescente? O que vocês têm feito?
— Brigamos — o pai desabafou. — Brigamos o tempo todo. Não conseguimos fazê-lo atender a nada que pedimos. Na tentativa de nos manter no controle, tiramos dele quase tudo, toda forma de liberdade. Detesto ter de admitir, mas costumo fazer sermões quando sinto que não estou conseguindo o que pretendo. Porém, ele tão somente se fecha. Nada resolve!

Celebrei a honestidade daqueles pais e, ao longo de vários encontros, os ajudei a analisar, camada após camada, seu histórico de parentalidade. Eles compreenderam as transformações mentais típicas de cada fase do desenvolvimento humano, coisas que deixaram passar despercebidas e que teriam guiado o garoto a uma condição de segurança e responsabilidade.

Entretanto, eles não vislumbravam nenhuma chance de ter uma relação positiva e saudável com o filho. Quando lhes falei da influência que exercem e lhes garanti que, na adolescência, ela era tão válida e tão real quanto havia sido outrora, eles foram enfáticos em discordar balançando a cabeça negativamente. Não conseguiam acreditar que tinham ao menos um dedo de influência sobre o rapaz. Mas tinham. O problema é que a estavam encarando da maneira errada. Estavam seguindo pela mesma rota atravessada por milhões de outros pais e mães.

Pode ser difícil reconhecer a influência que você exerce sobre seus filhos, especialmente quando eles são adolescentes; mas, se for capaz de compreendê-la e potencializá-la (por meio das nove dicas descritas na Parte II), você pavimentará um futuro mais brilhante, tanto para você quanto para eles. Se seus filhos ainda são pequenos, tenho boas notícias: você não precisará enfrentar as dificuldades que muitos pais e mães encaram, pois terá mais condições de alcançar uma realidade diferente. Os conceitos compilados neste livro não evitarão nem resolverão todo e qualquer problema, pois somos humanos lidando com humanos em miniatura. À medida que seguirem na jornada da autodescoberta, seus filhos colocarão à prova os limites estabelecidos por você. Eles vão dificultar as coisas. Mas quero desafiá-lo a recorrer a novas estratégias, a fim de conquistar o coração deles.

Àqueles entre vocês que têm filhos pré-adolescentes ou adolescentes, peço que não percam a esperança. Mesmo que pareça tarde demais, é possível traçar um plano e redefinir a rota. Não importa quem é você, quais erros já cometeu ou quão distante se sinta de seus filhos — você pode ganhar o coração deles.

Dois erros graves

A maioria dos pais e das mães começa com um desejo de criar filhos sadios e felizes, formar pessoas virtuosas e de bom caráter. Nunca conheci um pai ou mãe que, ao segurar nos braços o filho recém-nascido, tenha pensado: "Puxa, quero tanto estragar essa criança!". Todavia, muitos entram na parentalidade desprovidos do mínimo de princípios e acabam experimentando desespero e frustração.

O pai e a mãe citados no relato que apresentei acima cometeram dois erros graves. O primeiro é que, tendo sido criados sob regras bastante rígidas, relutaram em estabelecer limites sadios para o filho, receosos de que ele os odiasse. Mas limites não precisam ser sinônimo de restrições severas. Mais tarde, quando o filho ultrapassou a linha, eles reagiram de maneira exagerada. Em vez de mirar o coração do garoto, buscaram ganhar as brigas. A noção que tinham do que é influenciar estava deturpada. Empenhados em conduzir o filho por um caminho saudável, acabaram se tornando verdadeiros ditadores. Oscilavam entre tentar ser amigos e agir como sargentos quando as coisas desandavam.

Compreendo que há quem passe longe de estabelecer limites e diretrizes, em particular os pais e as mães de primeira viagem que temem dizer "Não" e "Pare com isso". Quem cresceu num ambiente permeado de normas estritas e pouco sensatas tende a ser permissivo com os filhos.

Mas a verdade é que a falta de limites prejudica nossas crianças. Disciplina sadia é amor. Em Provérbios 13.24, o rei Salomão afirmou: "O que retém a vara odeia seu filho; quem o ama, este o disciplina desde cedo" (NAA). As palavras de Salomão são bastante duras: deixar de disciplinar os filhos significa odiá-los! Nesse contexto, não se trata do ódio enraizado, maldoso. Em vez disso, o que Salomão alega é que se eximir da disciplina implica deixar de amar plenamente os filhos. Pense na importância dos limites na vida de qualquer um: quando não há limites, o resultado é puro caos. Simples assim. Muito provavelmente, se minha esposa e eu não tivéssemos estabelecido limites, as crianças teriam destruído as paredes e botado fogo na casa. Estou brincando, mas há alguma verdade nessa afirmação. Para sobreviver e operar de maneira apropriada, precisamos de limites.

Considere a falta de restrições no âmbito da sociedade em que vivemos. Como seria se não houvesse regras nem leis? E se não existisse governo? Nenhuma autoridade que garantisse a ordem civil? E se, a qualquer tempo, tivéssemos passe livre para fazer o que bem quiséssemos? Estaríamos imobilizados em uma condição terrível!

O segundo erro grave cometido por aqueles pais foi impor com muita severidade os limites que vinham estabelecendo (supondo que eles tenham comunicado os limites com clareza, coisa que muitos não fazem). Não raro, pais e mães recorrem a uma postura de comandante ou inspetor (discutiremos esse assunto no próximo capítulo). Isso ocorre por recearem que, se não forem severos, perderão o controle sobre o filho. Também acontece porque o pai ou a mãe busca uma resposta para a passividade agressiva do filho. Durante anos me debati com isso na relação com meu filho mais velho. Desafiador e combativo, ele precisava ser lembrado das regras que impúnhamos. Precisava ser lembrado também, repetidas vezes, de que não devia desrespeitar as pessoas, e que seus pais se incluíam nisso. Temendo perder o controle sobre ele, tornei-me rude. De modo passivo-agressivo, ele se recusava a acatar minhas instruções, o que me deixava frustrado e só fazia aumentar minha rispidez. Essa abordagem rigorosa acabava garantindo a resposta que eu esperava, e eu me mantinha no comando (ou pelo menos pensava isso), mas perdia a conexão com meu filho.

Quando, por fim, parei de recorrer à rudeza para tentar assegurar que ele reagisse "adequadamente" e passei a expor minhas expectativas sem recorrer a sermões, meu filho começou a responder de maneira muito mais positiva. Caso você esteja balançando a cabeça em afirmação e reconhecendo que já passou por isso, saiba que não está sozinho. Permita-me encorajá-lo a aguentar firme. Nos próximos capítulos, apresentaremos em detalhes alguns métodos de parentalidade saudável e positiva.

Limites amorosos

Todos nós, e isso inclui nossos filhos, precisamos de limites. Mas eis a grande questão: regras e disciplina necessariamente implicam rispidez? De modo nenhum.

Se evitar a "vara" da disciplina implica faltar com amor para com os filhos, a que essa vara corresponde? A sermões, desprezo ou escárnio? Não. A vara é um princípio. E, como tal, tem sua importância e merece atenção. De fato, pode-se substituir o termo *vara* por *princípio*. Em outras palavras, o rei Salomão nos diz que, quando nos abstemos do princípio (ou da ação imprescindível) da disciplina, estamos privando nossos filhos de receber amor. Até mesmo a palavra *disciplina* requer esclarecimento. Nunca na história humana a disciplina saudável correspondeu à tirania. Disciplinar não significa repreender até que se ganhe a discussão ou que se prove o próprio argumento. Será que é possível estabelecer limites e disciplina de forma calma, controlada e amorosa? Não há dúvida! De fato, para conquistar o coração de nossos filhos em amor, *devemos* fixar limites e não reagir conforme o senso comum quando estes são ignorados.

Gosto de comparar limites saudáveis a muretas de proteção, comumente colocadas a certa distância de zonas de perigo. Pais e mães sábios estabelecem regras que ensinam os filhos a se manter a uma distância segura dos perigos. Lembro-me agora de um trecho perigoso da estrada que passa por minha cidade natal, no meio do estado de Indiana — talvez o trecho de rodovia mais perigoso dos Estados Unidos. Sempre há colisões, acidentes e engavetamentos, e minha recomendação é que se evite a todo custo passar por ali. Infelizmente, eu costumava trafegar naquela região com bastante frequência. Certa vez, parado no trânsito, notei algo como um enorme lago margeando a estrada; tratava-se de uma extensa área escavada, muito profunda e com bordas irregulares. Passar de carro por ali seria morte na certa. Entre a estrada e a área alagada, porém, havia uma robusta mureta de proteção; depois dela, seguiam-se cerca de cinco ou seis metros de grama e, por fim, uma fileira de árvores. Quem tentasse se aproximar do lago teria de passar a mureta de proteção, cruzar a faixa de grama e atravessar por entre as árvores. Durante as viagens, vi muitos carros batidos na mureta de contenção, mas nunca avistei nenhum veículo sobre a grama ou perto do lago — graças a um limite colocado a uma distância segura da zona de perigo.

As muretas não garantem muita segurança quando são dispostas à margem de zonas perigosas. Ultrapassar uma mureta dessas colocada à beira de um precipício é mergulhar na própria aniquilação. Para pais e mães, essa analogia corresponde a fixar limites de forma tal que o filho não se aproxime do perigo. Se você quer que seu filho respeite a pessoa de sexo oposto, que ele se abstenha de relações sexuais fora do casamento e que não beba antes dos 21 anos, estabeleça e esclareça os limites enquanto ele ainda cursa o ensino fundamental, e não quando já estiver na metade do ensino médio. Se você esperar pela noite da formatura, será tarde demais.

Limites saudáveis são mais efetivos quando estabelecidos em amor. Repito: muitos de nós associam limites a rispidez ou a negatividade, em geral por termos sido criados de maneira severa, com muita repreensão, humilhação e desdém. Possivelmente, você terá de mudar o que entende por limites amorosos.

Limites desse tipo devem ser apresentados quando os filhos começam a andar. Estabelecer restrições saudáveis poderia ter privado muitos pais e mães de virem me procurar angustiados por causa do filho insubmisso que sempre pôde tudo.

Em primeiro lugar, limites saudáveis têm a ver com diálogo. Lá em casa, temos uma regra pela qual todos devem descalçar os sapatos ao chegar da rua. Moramos numa chácara em Indiana, num lugar onde os invernos são particularmente rigorosos. Entre outubro e abril, o quintal e a entrada da casa se tornam grandes poças de lama. Conversamos sobre a tal regra no dia em que nos mudamos para lá e, de novo, quando notamos pegadas enlameadas na cozinha. Engrossamos a voz na terceira vez que tivemos de tocar no assunto. Então, na quarta vez, estipulamos uma consequência. De todo modo, não ameaçamos, envergonhamos nem repreendemos ninguém. Com tranquilidade e firmeza, fixamos o limite e definimos a consequência de ultrapassá-lo. Obviamente, marcas de lama pela casa não representam grave perigo, mas incomodam um bocado. Bem, creio que você entendeu. Assuntos como sexo, horário de dormir e contato com panela quente são todos passíveis de uma abordagem pautada no diálogo. Ainda que seja necessário recorrer ao *amor duro*, a conversa pode ser serena. (Discutiremos a expressão *amor duro* mais tarde. Para alguns, ela pode ter conotação negativa; asseguro, porém, que não envolve maldade, rispidez ou constrangimento.)

O que se pode fazer de imediato? Trataremos disso de modo detalhado adiante, mas, como ponto de partida, veja alguns passos que você pode dar agora mesmo:

1. *Comece já.* Não cometa o erro de achar que é tarde ou cedo demais. Independentemente de seu filho ter 2 ou 6 anos ou ser adolescente, comece agora. Se ele é mais velho e você tem sido negligente quanto aos limites, o desafio pode ser grande, mas é certo que seu filho se beneficiará do cuidado apropriado, ainda que tardio.
2. *Esclareça suas ações e motivações.* Recomendo que, antes de estabelecer limites e observar se estão sendo respeitados,

você tenha uma conversa franca, sobretudo se seu filho for pré-adolescente ou adolescente. Nessa conversa, devem-se comentar as regras em detalhes, as consequências do não cumprimento de cada uma e as razões de tais regras existirem. Será necessário deixar bastante claro, em palavras e ações, que seu amor é incondicional, mesmo quando seu filho considerar você uma pessoa cruel.

3. *Estabeleça limites e garanta que sejam respeitados.* Parece óbvio, mas quero incentivá-lo a realmente *fazer* isso. Ler sobre limites, falar e refletir sobre eles é diferente de estabelecê-los. Seja proativo. Para começar, escolha um número limitado de regras relacionadas a situações particularmente importantes ou a circunstâncias em que a chance de êxito é maior.

4. *Seja consistente.* Se você é relapso quando seu filho deixa de cumprir uma regra preestabelecida, a mensagem que envia a ele é que essa regra não é importante. Reafirmar continuamente suas expectativas quanto aos limites fixados ajuda seu filho a levá-los a sério. E, mais tarde, ele entenderá o valor desses limites.

PAUSA PARA REFLEXÃO

1. No que se refere a limites, disciplina e influência, que ideais de parentalidade você formou a partir da criação que recebeu?
2. Como você lida com conflitos relacionados à fixação de limites saudáveis e ao cumprimento desses limites por seus filhos?
3. Quais são seus maiores temores quando o assunto é criação de filhos?

4. Quanto à influência que exerce como pai ou mãe, que crenças você carrega?
5. Se você pudesse garantir uma só conquista na criação de seus filhos, qual seria?

3

O que há em comum entre *Gilmore Girls*, *Um duende em Nova York*, a Sargento Megera e o inspetor escolar de *De volta para o futuro*?

Como não educar um filho

Há alguns anos, a internet foi à loucura. Pelo menos foi o que me pareceu quando vi minhas filhas adolescentes dançarem extasiadas pela casa. Tudo por causa de um anúncio de que Lorelai e Rory Gilmore e toda a turma da fictícia cidade de Stars Hollow se reuniria em uma série especial da Netflix intitulada *Gilmore Girls: Um ano para recordar*. Minha esposa e minhas filhas deixaram bem claro que nada além do tal seriado poderia ocupar a TV de casa. A única opção que me restou foi juntar-me a elas.

Ok, eu também curto *Gilmore Girls*. Gostei muito da série original, mais antiga, à qual assistia enquanto almoçava com Kristin e nossa segunda filha. Antes, porém, de ver a nova versão do seriado, resolvi assistir aos episódios originais desde o início, quando Rory era só uma garotinha inteligente que provocava risos e admiração. Os roteiros daqueles episódios estão entre os melhores que já conheci.

Quando assistimos à série original juntos, notei algo interessante: Lorelai sempre se comportava como uma mãe passiva. Ela era nova quando Rory nasceu; então, sua relação com a menina era mais como a de amigas do que como a de mãe e filha. As interações mais difíceis, e até mesmo os conflitos graves, pareciam se dissolver por inteiro no curso de um ou dois episódios. Isso não é necessariamente ruim. Para Lorelai e Rory, parecia funcionar. Mas uma coisa curiosa acontecia toda vez que Rory fazia algo de errado: Lorelai pegava leve. Em diversos episódios, elas aparecem brigando. E então a relação de amizade prossegue bem, até que Rory cometa algum deslize.

Na época em que maratonamos a nova série, também assistimos a um filme natalino bastante clássico: *Um duende em Nova York*, apreciado por nossa família em qualquer período do ano. Acredito que o DVD desse filme tenha ficado no *player* do carro por pelo menos seis meses! Certo dia, dirigindo enquanto minhas filhas assistiam a esse filme pela milésima vez, comecei a pensar nas características de Lorelai e Rory Gilmore e de Buddy, o elfo do filme. Lorelai e Rory mantêm um relacionamento bonito, espirituoso, divertido. Seus conflitos são breves, solucionados em um ou dois episódios, no máximo. Houve apenas uma vez em que o impasse se estendeu por quase meia temporada. Há quem considere perfeita a relação entre essa mãe e essa filha e fantasie viver algo semelhante.

Comparar-se com personagens fictícios pode parecer tolice para alguns. Mas, sob muitos aspectos, as Gilmore nos parecem a família ideal, não é? Voltemos por uns instantes à maternidade ou à agência de adoção de filhos. Muitos de nós tínhamos em mente o seguinte ideal de parentalidade: educaremos nossos filhos com amor; todas as manhãs, eles se levantarão e nos pedirão a bênção. Não haverá discussões, e eles acatarão o que quer que dissermos. Teremos conversas sinceras e concordaremos em tudo. Eles serão bons alunos e atletas, alcançarão sucesso e serão estimados pelos colegas. Em todos os assuntos — de economia a esportes, passando por política —, terão opiniões alinhadas com as nossas.

Isso soa bastante idealizado, mas não é assim mesmo que pensamos? Costumo chamar essa abordagem de Sonhadora — o tipo de parentalidade idealizada que imaginamos quando nos tornamos pais e mães.

Então, chega Buddy, o elfo do filme. Ele ama todo mundo. É amigo de todos, mesmo nos casos em que a amizade não é a melhor alternativa. Ele gosta de sorrir e não quer causar aborrecimentos nem fazer ninguém infeliz. Por isso, é ávido por agradar. Quer estar junto de você o tempo todo e fazer tudo que você deseja.

Muitos de nós somos assim, não poupamos esforços para agradar nossos filhos. Digamos que essa é a parentalidade Amigão. Quaisquer que sejam as atitudes ou escolhas do filho perante o pai ou a mãe, estes se mantêm determinados a agir sempre como amigos desse filho. Venho trabalhando com aconselhamento familiar e orientando pais e mães há quase duas décadas, e nesse tempo já vi essa abordagem muitas vezes.

Em 2005, eu servia como pastor de jovens em uma pequena igreja na região central de Indiana e amava o que fazia. Passamos anos maravilhosos ali, dos quais guardamos muitas memórias boas. Mas lembro-me particularmente de uma família cujos filhos integravam o ministério infantil, o grupo de pré-adolescentes e o de adolescentes. Eram todos muito atuantes na igreja, e as crianças participavam de todos os eventos que organizávamos, sendo sempre as primeiras a se inscrever. Aquele pai e aquela mãe foram o primeiro casal a abrir sua residência para um evento com os jovens e a se voluntariar para ajudar com os custos de uma viagem do grupo. Eram muito comprometidos, mas também muito permissivos com os filhos. Não que estes fossem maus — eram crianças. Os dois mais velhos haviam sido "abençoados" com um comportamento inquieto. Os pais costumavam rir das transgressões deles. A abordagem Buddy, o elfo, lhes caía como uma luva: não queriam contrariar os filhos. Era como se os idealizassem, recusando-se a acreditar que podiam fazer más escolhas e que precisavam de limites.

Durante uma viagem com o grupo de jovens, um dos filhos desse casal se envolveu numa discussão. O que parecia uma conduta adolescente comum se transformou em grande confusão e importunou outros participantes do evento. Depois de pôr ordem nas coisas, tive de avisar os pais desse menino. Eles se recusaram a acreditar que o filho fizera o que outros jovens e também alguns adultos relataram. Nem mesmo quando outros responsáveis pelo passeio apresentaram a gravidade da situação aquele pai e aquela mãe aceitaram disciplinar o filho e estabelecer limites saudáveis que o mantivessem longe do perigo. Mais tarde, afirmaram: "Não queremos que nossos filhos nos odeiem. Temos com eles uma relação amigável e compreensiva, e não desejamos que seja diferente". Eu não podia acreditar no que ouvia!

Esse casal de pais conhecia muitos outros que, agindo como generais, acabaram comprometendo a relação com os filhos adolescentes. Até entendo, pois em certo sentido experimentei isso na minha infância e adolescência. Mas também conheço muitos pais e mães demasiadamente permissivos. Aconselhei alguns deles ao longo desses anos e vi quão danosa é a abordagem do Amigão. Desse modo, os casais mais durões têm lá algum ponto a seu favor. Eles adotam um terceiro estilo de parentalidade, a abordagem Sargento Megera, ou Comandante.

A quarta categoria parental tem muitos pontos em comum com a categoria Comandante e a denomino Inspetora: pais e mães que transformam tudo em palestra ou sermão. O que difere os Inspetores dos Comandantes é que os primeiros podem se revelar bastante cordiais.

"Ok, Mike, estou seguindo seu raciocínio. Mas preciso discordar de alguns pontos. Em primeiro lugar, tenho um bom relacionamento com meus filhos. Eles me respeitam, e eu os respeito. Até os consideraria meus amigos. Portanto, não acredito que haja riscos no que você chama de abordagens Gilmore Girls e Buddy, o elfo."

Acho ótimo que você se relacione bem (e, espero, de modo sadio) com seus filhos. Na verdade, não afirmei o contrário. E aprecio o fato de serem amigos. Não estou dizendo que Lorelai e Buddy representam condutas totalmente ruins. Eles têm seus méritos.

Mas, quer seus filhos acatem bem as regras, quer as desafiem, em algum momento precisarão que você estabeleça e mantenha limites saudáveis. Eles precisam que você lhes mostre o caminho, que os conduza e os ensine a agir como adultos no mundo em que vivemos. Vez ou outra, até mesmo as crianças mais elogiáveis põem os limites à prova. (A criança que nunca faz isso pode revelar submissão nociva e acabar se rebelando futuramente. Na vida adulta, essa rebeldia pode se manifestar como comportamento disfuncional passivo-agressivo para com colegas de trabalho, amigos, familiares e até pessoas desconhecidas.)

Vejamos em detalhes esses quatro estilos parentais.

Pais e mães Sonhadores

Lorelai Gilmore parece conviver perfeitamente com a filha, Rory, com quem se relaciona de igual para igual. Está claro que esse tipo de relação parental realmente existe, sobretudo quando se trata da convivência *futura* com nossos filhos. Mas, no início da caminhada como pai ou mãe, expectativas idealizadas são um risco. Ao conversar comigo, inúmeros pais e mães admitiram ter cometido esse engano. Eles apostaram todas as fichas em algo que acabou se mostrando irreal. À medida que os filhos cresciam, tais homens e mulheres se debatiam na tentativa de preservar aquele vislumbre inicial. Mas a visão que tinham acerca do relacionamento com os filhos, a esperança que alimentavam internamente e até as expectativas que carregavam foram suspensas de maneira abrupta quando as crianças alcançaram a adolescência ou mesmo a pré-adolescência.

Aqueles pais e mães lamentaram, arrependeram-se e lutaram para lidar com o "novo normal". E gastaram uma pequena fortuna com lenços de papel.

A coisa mais difícil que eu tinha de fazer ao me reunir com eles era acompanhá-los na retomada, passo a passo, ano a ano, das muitas ocasiões em que suas fantasias os haviam impedido de reconhecer o que caracteriza um relacionamento saudável entre pais e filhos. As fantasias é que motivavam a negação do que de fato acontecia em cada um daqueles lares.

Como pais e mães, não desejamos falhar, mas ter êxito. Todavia, os Sonhadores se equivocam quanto à real definição de parentalidade bem-sucedida. Não se trata de seguir com os filhos por uma trilha livre de problemas. Trata-se de prever que haverá obstáculos e lidar com eles de forma responsável, por vezes dolorida. Tem a ver com recusar-se a acreditar em fantasias e, no lugar delas, ver a realidade da beleza e da imperfeição de nossas crianças. Como veremos em capítulos posteriores, a verdade imperfeita acerca de nossos filhos é muito mais significativa e bela do que qualquer ilusão "perfeita".

Pais e mães Amigões

A parentalidade do Amigão tem bastante relação com a do Sonhador. Quem tem o estilo amigão apenas diz: "Estou com você independentemente do que aconteça". Quaisquer que sejam as atitudes, as palavras e o comportamento do filho, o pai e a mãe que se enquadram nessa categoria se mantêm amistosos. Todo esforço que fazem se destina a agradar a criança.

No filme *Um duende em Nova York*, há uma cena que demonstra isso perfeitamente. Buddy aparece no momento em que Michael, seu meio-irmão, sai da escola no fim do dia. Buddy acena, grita o nome de Michael, segue-o entusiasmado e fala sem parar. Mas, num ato brusco e repentino, Michael ordena que Buddy vá embora e o deixe sozinho. O elfo não se abala e continua caminhando. Michael se irrita ainda mais e começa a ofendê-lo verbalmente. Fica claro que nada impedirá Buddy de tentar tornar-se amigo de Michael, a despeito de quanto este lhe seja rude.

Já vi diversas famílias colocando essa abordagem em prática. Fui severamente criticado por pais e mães que não entendiam por que minha equipe e eu havíamos repreendido seu filho por praticar *bullying* contra um colega durante um acampamento. Eles justificavam: "Isso é coisa de adolescente!". Testemunhei pais e mães que permitiam hábitos viciosos do filho por recearem que ele os odiasse ou se rebelasse caso tirassem o computador de seu quarto. Um estudo feito em 2016 pelo grupo Barna em parceria com o ministério do evangelista Josh McDowell apurou que 27% dos jovens adultos entre 25 e 30 anos tiveram contato com pornografia antes da puberdade. Os pais e as mães desses jovens tinham parte de responsabilidade nisso, pois haviam sido negligentes quanto à restrição de uso de *sites* de busca. Cerca de 16% dos entrevistados afirmaram acessar conteúdo pornográfico diariamente, 32% semanalmente e 23% mensalmente. Pelo menos uma vez ao mês, 33% das mulheres entrevistadas com idade entre 13 e 24 anos buscava conteúdo desse tipo. A pornografia é um problema para meninos *e* meninas, e os *smartphones* são o principal meio usado para acessá-la.[1]

É justamente por esse motivo que temos apenas um computador em casa, e ele fica no local mais movimentado. Nossos filhos adolescentes não acessam a internet (incluindo redes sociais) a partir de seus celulares. E esses aparelhos são carregados à noite em nosso quarto, sem negociação. Eu não sou parceiro dos meus filhos; sou o pai deles. Meu grau de dedicação a fazê-los felizes nem sequer se compara ao meu esforço para mantê-los seguros e incutir neles bom caráter, integridade e bússola moral.

Quando tentamos ser camaradas de nossos filhos em toda e qualquer situação, negligenciamos a necessidade que eles têm de um modelo de vida. Se agirmos assim, é pouco provável que eles nos reconheçam como conselheiros e guias para a vida adulta. Em certo sentido, há lugar para a amizade; mas limites claros, saudáveis e consistentemente reafirmados ensinam aos filhos como ser adultos. Em 2018, em nosso *podcast*, falamos sobre influência parental, e minha esposa comentou: "Não estamos criando crianças; estamos criando adultos!".[2]

Outra razão pela qual a abordagem do Amigão é perigosa está no fato de ela promover em nossos filhos expectativas irreais em relação à vida. No mundo real, as figuras de autoridade com que eles têm de lidar não se comportam como amigos. Enquanto nossos filhos estão sob o nosso teto, temos a chance de lhes mostrar o que de fato devem esperar de alguém que exerce autoridade de maneira equilibrada, e providenciamos esse modelo quando aplicamos a disciplina em amor.

Pais e mães Comandantes

Com frequência, muitos pais e mães não conseguem perceber os riscos do controle exagerado ou, ainda, não se dão conta de que caíram nesse exagero, especialmente se foram criados sob tal abordagem. O Comandante vai além do rigor. Agir como a Sargento Megera é dominar, comandar, recusar qualquer negociação e, não raro, recorrer a constrangimentos ("Qual é o seu problema? Como pôde fazer isso?"), desprezo ("Que idiotice! Você é um desmiolado") ou rigidez, a fim de deter o controle.

Pais e mães rígidos podem exercer influência positiva caso consigam prover uma boa mistura de amor e limites, como vimos anteriormente. Porém, ainda que amem seus filhos, esses pais e mães evitam expressões de amor que evidenciem ternura. Os Comandantes falham em perceber que serão respeitados quando *demonstrarem* respeito e vulneravelmente pedirem perdão sempre que errarem com os filhos.

O filme *As virgens suicidas*, lançado em 1999, teve enorme impacto no modo como entendo a parentalidade. Trata-se da história de cinco irmãs que viviam na periferia de Detroit, nos Estados Unidos, na década de 1970. Os pais, sr. e sra. Lisbon, católicos rigorosos, mantinham as meninas em rédeas curtas, impondo duras obrigações religiosas e até mesmo isolando as filhas dentro de casa. Quando a mais nova dá cabo da própria vida, eles se tornam ainda mais severos. Trip, um dos rapazes da vizinhança, consegue convencer o sr. Lisbon a deixar que as meninas participem de um baile doméstico, ao fim do qual a garota mais velha faz sexo com o moço, pega no sono e perde a hora de voltar para casa, retornando na manhã seguinte, de táxi. O pai e a mãe ficam enfurecidos e impõem reclusão absoluta.

Isoladas como animais em gaiolas, as meninas se lançam numa espiral de comportamentos de risco — saem às escondidas, dormem com garotos e homens mais velhos — e caem em depressão profunda. (Alerta de *spoiler*!) Como o sr. Lisbon se mantém intransigente quanto à reclusão, as moças acabam firmando e executando um pacto suicida.

Meu coração ficou destruído quando vi esse filme; na época, eu tinha 22 anos e cursava a faculdade. Não conseguia entender como aquele casal fora incapaz de notar que seus esforços para proteger as meninas eram justamente o que as empurrava para o perigo. Contudo, conheço muitos pais e mães Comandantes. Muitas vezes, tendo cometido sérios deslizes quando jovens, argumentam: "Não quero que meus filhos tenham o mesmo fim que eu". Mas, ao deixar-se levar por esse medo, acabam cegos para as consequências de tal postura, afastando-se dos filhos e provocando neles um anseio frenético por fuga, rebelião ou autoflagelo.

Veremos que é possível ser positivamente firme com os filhos sem que seja preciso dominá-los. Isso removerá um grande peso de seus ombros, e seus filhos responderão muito melhor a limites razoáveis e orientação amorosa.

Pais e mães Inspetores

Costumo chamar a abordagem Inspetora de "modelo Strickland". Ela tem certa relação com a parentalidade Comandante, mas há diferenças bem acentuadas. Se você viveu nos anos 1980 (ou se, assim como eu, curte filmes antigos), deve se lembrar do filme *De volta para o futuro*. No início desse filme, Marty McFly tem alguns desentendimentos com o inspetor do colégio, o sr. Gerald Strickland, que o repreende e adverte por chegar atrasado. Implacável, Strickland não perde a oportunidade de ensinar ou corrigir.

Pais e mães que tendem a agir como o sr. Strickland veem tudo como chance de passar um ensinamento. Quando o filho só acerta a bola na trave no jogo de futebol, no caminho de volta para casa eles explicam como o garoto poderia ter feito gols e desfrutado um dia perfeito. Quando a criança faz uma pergunta simples sobre álgebra, lançam mão de uma lousa e passam a hora seguinte rabiscando equações. A curiosidade do filho é solapada em nome de uma pretensa elucidação. Em geral, essa abordagem se revela mais dócil quando comparada à do Comandante, mas há exceções.

O grande problema com esse tipo de parentalidade é que o Inspetor perde boas chances de se ligar autêntica e amorosamente ao coração de seu filho. As crianças nos fazem perguntas porque nos amam e admiram, não porque estão a fim de receber uma aula.

"Bem, Mike, acontece que meus filhos adoram que lhes ensinemos coisas novas."

É mesmo? Já perguntou isso a eles? Pergunte se preferem uma aula de uma hora sobre resolução de equações algébricas ou alguns instantes solucionando um problema e se conectando com o coração da Mamãe ou do Papai. E permita que respondam honestamente.

Se você é propenso a dar instruções minuciosas, pode estar em vias de perder o coração de seu filho. O risco é sutil, e talvez você o perceba tarde demais. Mas, se você detectar essa propensão a tempo, poderá aprender a ensinar seu filho mais pelo exemplo e pela aceitação amorosa do que por explicações alongadas.

PAUSA PARA REFLEXÃO

1. Que tipo de abordagem parental tem colocado você em apuros?
2. Como isso afeta, para o bem e para o mal, sua relação com seus filhos?
3. Cite três aspectos que você gostaria de mudar no modo como cria seus filhos.

4
Irmãs malvadas

Definindo um novo padrão parental

Kristin e eu somos extremamente determinados — suprassumos-da-disposição-vamos-que-vamos-deixa-de-firula! Também somos naturalmente dados à instrução, em parte porque crescemos sob uma educação do tipo Inspetora.

Passei a infância num lar onde não havia papas na língua, e as discussões logo evoluíam para disputas de quem berrava mais alto. Urrávamos sem parar, competindo pela última palavra. Mais do que meros sermões, aqueles campeonatos de grito eram carregados de vergonha e menosprezo. Eu frequentemente ouvia: "O que há de errado com você?", "Você é estúpido ou o quê?" ou "Que espécie de idiota faria uma coisa dessas?". Suscetível, meu coração assimilou a autoimagem de um tolo, um fracassado.

Nossa reação às más escolhas de nossos filhos sinaliza o que pensamos deles. Eles levam incrustadas dentro de si, até a vida adulta, as respostas que damos a seus dilemas humanos. Em nosso íntimo, podemos até desejar ajudá-los, mas as palavras humilhantes que proferimos os impedem de ver o que há em nosso coração e os privam de aprender como agir melhor.

Pouco tempo atrás, um dos meus filhos foi flagrado num furto. Sim, furto. O episódio foi filmado, e a prova literalmente escorreu do quarto do garoto. (Ele furtou doces de três lojas e enfiou as embalagens debaixo de seu colchão.) Kristin e eu ficamos não apenas furiosos, mas constrangidos, envergonhados e perplexos.

Debatemos, avaliamos e discutimos qual seria nossa reação. Queríamos gritar com ele; nosso impulso era passar um sermão, humilhá-lo. Mas sabíamos que isso não adiantaria nada. Pense numa ocasião de sua infância em que você se sentiu diminuído. Aquilo despertou em você o desejo de ser alguém melhor? O único efeito que os gritos e as reprimendas de meus pais tiveram sobre mim foi que descobri maneiras diferentes e nocivas de dissimular, escapar e me defender.

Por si sós, as crianças já vivem em terreno instável: seu coração (e também o dos adolescentes) é ultrafrágil. Em busca do próprio caminho em meio a um mundo opressivo, elas têm o coração e a mente repletos de insegurança. Isso é particularmente verdadeiro quando se trata de crianças adotadas, que, em geral, se consideram insuficientes em razão de não terem sido acolhidas pelos pais biológicos. Há uma voz interna repetindo essa mentira, sussurrando que elas são arruinadas, irreparáveis ou indesejáveis. Essa, meus amigos, é a voz do trauma.

Acreditamos que nossos filhos são belos, brilhantes, talentosos, irretocáveis, e queremos expressar a eles essa verdade a fim de abafar a voz do trauma. Mas, quando os expomos a humilhações e constrangimentos, reforçamos o que aquela voz diz dentro deles. E não é assim que conseguiremos ensiná-los a agir melhor.

Lembra-se de Cinderela e suas irmãs malvadas? Em famílias conduzidas por Comandantes e Inspetores, vergonha e constrangimento são como essas irmãs. Famílias guiadas por Sonhadores e Amigões também têm irmãs malvadas, como a negação, a vida fantasiosa e a desconexão com a realidade.

A seu modo, estas são tão prejudiciais quanto gritos, sermões e insultos. Quando tentamos incorporar a ilusão da família perfeita, deixamos de considerar problemas e necessidades reais. Quando procuramos ser parceiros de nossos filhos, deixamos de fornecer a eles a orientação e os limites pelos quais tanto anseiam. Quando agimos como pais Sonhadores ou Amigões, colocamos nossos filhos sobre um terreno instável, desprovido da solidez da verdade e da retidão moral de que precisam.

Então, o que fazer? Como é que nós, adultos imperfeitos, educaremos filhos imperfeitos? Creio que a melhor solução implica mudança de paradigma, rejeitando esses quatro estilos nocivos de parentalidade.

Desiluda o Sonhador

Como já foi dito, não é muito difícil que pais e mães acabem adotando o estilo Sonhador, pois a jornada da parentalidade se inicia com um forte desejo de acertar com os filhos. Se, por um lado, há quem age de forma prejudicial para com os filhos, o problema do Sonhador é que ele evita passivamente fazer aquilo que pais e mães *precisam* fazer. É possível que queiramos tanto alcançar a perfeição parental que nos deixemos iludir em vez de criar nossos filhos de modo intencional.

Como desiludir o Sonhador?

No lugar da pseudoperfeição, relacionamentos reais

A canção "Politik", da banda Coldplay, clama por realidade e recusa o que é falso. Isso se tornou lema de vida para minha família. O ilusório é transitório. A ficção é efêmera. No fim das contas, ela desmorona. Pense em como as imitações baratas nem mesmo se comparam aos produtos originais. Ou em como as farsas duram apenas por um tempo, até que alguém seja desmascarado. Os atores simulam "autenticidade" enquanto estão no estúdio de filmagem, mas, uma vez concluídas as gravações, eles voltam para a vida *real*.

O mundo está carente da verdade, e precisamos dela no convívio com nossos filhos. Conheço muitos pais e mães Sonhadores e tenho vontade de gritar para eles: "As Gilmore não são reais. São atrizes!".

Nós e nossos filhos devemos sintonizar a realidade: parar de fingir o que não somos e de simular algo que nossa família não é. Aceite, enfrente as verdadeiras dificuldades e complicações dos relacionamentos reais e, então, desiluda o Sonhador.

No lugar de uma harmonia fajuta, uma bagunça que faz sentido

Vivemos na era Pinterest e Instagram, em que a vida de todo mundo é relatada em detalhes para quem quiser ver. A aparente perfeição divulgada nas redes sociais faz que as pessoas se considerem, por comparação, menos aceitáveis. Noite passada, sentados na sala de jantar atulhada — cheia de caixas fechadas trazidas numa mudança recente —, Kristin e eu comentamos sobre como há tantos pais e mães que exibem falsa harmonia nas redes sociais. Pretendem mostrar ao mundo como são formidáveis, enquanto o restante de nós segue vacilante pela jornada parental. Mas sabemos a verdade: essas famílias não são reais.

Minha esposa e eu chegamos a falsear essa harmonia muitos anos atrás, o que só aumentou a carência e a solidão. Somente quando admitimos que nossa família não era assim tão ordeira foi que nosso convívio ganhou sentido. Alguns de nossos oito filhos adotivos têm necessidades especiais bastante acentuadas. Nossa história é diferente da vivida por famílias com filhos biológicos. E não segue o manual. Mas eu não trocaria nada do que vivemos, nem mesmo pela experiência de uma vida absolutamente perfeita. Nossa vida é plena de sentido porque envolve aventura, bagunça e, às vezes, riscos. Os perfis que admiro nas redes sociais são os que de bom grado revelam o caos. E eu me identifico totalmente com eles.

Modere o Amigão

A abordagem do Amigão tem pontos em comum com a Sonhadora. É perigosa porque, a exemplo desta, evita passivamente aquilo que pais e mães idôneos precisam fazer. Ela se entrega a qualquer coisa que garanta conforto momentâneo. Pense em suas amizades — relacionamentos com outros adultos, com parentes ou mesmo com seu cônjuge. Em parte, essas relações se baseiam no conforto. Sentimo-nos à vontade na companhia de amigos: eles enriquecem nossa vida e fazem a gente se sentir bem, como é de se esperar. Vez ou outra, a amizade estremece, exigindo uma conversa bastante franca. Porém, ter um bom camarada por perto sempre que necessário é algo que nos deixa bem satisfeitos.

A despeito disso, a busca por se tornar o melhor amigo de um filho é danosa pois ignora a demanda por limites saudáveis e orientação durante a infância e a adolescência. Até onde os aspectos árduos do amor nos permitam, não é errado desenvolver amizade com os filhos. Kristin e eu temos diversas oportunidades de lidar com nossos filhos como amigos. Discutiremos mais sobre isso posteriormente, mas é fato que tiramos todo proveito de conversas e trocas positivas com eles. Escutamos ativamente suas opiniões e nos interessamos pelas perspectivas sob as quais enxergam o mundo. Frequentamos algumas cafeterias com nossos adolescentes e rimos com as histórias malucas que eles nos contam sobre episódios ocorridos na escola ou sobre postagens toscas que viram no Instagram. Sentamos ao redor da mesa de casa e trocamos piadas durante as refeições. Em certo sentido, nessas ocasiões desfrutamos da amizade de nossos filhos. Mas a relação que temos com eles não deve se basear nisso. Não podemos sacrificar educação e limites em nome da amizade.

E como moderar o Amigão?

No lugar da parceria, somente amor

Para pais e mães, o amor assume várias formas, e algumas delas às vezes são repelidas pelos filhos. A verdade é que em certos momentos as crianças gostam de nós, e então há paz. Em outros, precisamos tomar decisões que podem desagradá-las, mas que lhes são benéficas. Isso é amor.

Provavelmente você já ouviu o termo *amor duro* — e talvez seja disso que a relação com seu filho precise. Apesar do tom um tanto severo, quero que todos entendam que estamos falando de amor sadio. A parentalidade adequada demanda um amor capaz de se manifestar por meio da preservação de limites e regras, mesmo nos casos em que seria mais agradável agir com camaradagem.

Em vez de camaradas, pais e mães

Há momentos em que você pode se relacionar com seus filhos na base da parceria, mas você sempre será, acima de tudo, o pai ou a mãe deles. Como pastor de jovens, treinei adultos líderes de pequenos grupos, organizadores de passeios e mentores. Um dos princípios mais importantes que eu ensinava era que aqueles jovens não precisavam de mais um colega; eles precisavam de um mentor. Não necessitavam de mais um grande amigo, mas de um guia que os ajudasse a descobrir o que é essa coisa chamada vida. Como estariam inseridos no mundo? Qual era o propósito de cada um? Para que foram chamados? Eles esperam que o adulto os ajude a reconhecer o caminho.

O mesmo vale para seu papel como pai ou mãe. Seus filhos não precisam de um camarada, ainda que isso pareça bem mais fácil. Eles precisam de um pai, uma mãe.

Aplaque o Comandante

Tanto os Sonhadores quanto os Amigões negligenciam o que pais e mães *devem* fazer. De maneira oposta, o Comandante faz o que pais e mães *não devem* fazer: recorrem à vergonha e ao controle.

De novo, se esse é seu caso, não se martirize. Sendo adultos, aprendemos a agir com responsabilidade, mas comumente projetamos nossas expectativas sobre nossos filhos em vez de dar um passo para trás e buscar uma forma mais viável de orientá-los.

Como se pode aplacar um Comandante?

No lugar do desprezo, compaixão

Dá vontade de perder as estribeiras. Eu sei; também tenho essa vontade, diversas vezes. Você já repetiu tanto uma orientação para seus filhos. Traçou diretrizes, deixou bem claras as consequências de não acatá-las e reforçou os limites. Apesar de tudo, aconteceu de novo. Eles puseram tudo a perder, e agora você está tentado a depreciá-los, passar um belo sermão e constrangê-los porque só assim eles reagem bem. Não é isso que indica que você dá conta de educá-los? Bem, talvez... Mas a custo de quê?

Sei que, quando chegaram até mim e Kristin, nossos filhos já estavam convencidos de que eram fracassados — insuficientemente bons, indesejados, indignos de amor. Seus filhos também podem estar lutando contra a questão do não-sou-bom-o-bastante. E nosso desprezo quando eles erram só reforça essa luta. É tempo de ajustar nossa postura e deixar que a compaixão tome a dianteira. Devemos continuar frisando as consequências dos maus atos e deixar que elas se manifestem quando agirem mal, mas podemos fazer isso com compaixão em vez de escárnio ou constrangimento.

Todos os anos falamos desse assunto em aulas de parentalidade nos mais diversos lugares, e quase sempre algum participante pede que ofereçamos exemplos. O ponto-chave é prestar atenção ao seu tom de voz e à sua linguagem corporal quando se dirige à criança ou ao adolescente. Pergunte-se: "Como minha voz está soando?", "Como meu filho se sente agora?", "O que minhas atitudes comunicam a ele?". Nossas emoções conseguem facilmente dominar nossas reações, provocando palavras e atitudes agressivas. Contudo, não é preciso erguer a voz para dizer que seu filho fez algo errado. De fato, há grande vantagem em manter-se calmo e controlado enquanto fala com ele.

Além disso, aperfeiçoe a qualidade e a quantidade das palavras que emite. A emoção nos leva a falar e falar e falar, quando uma declaração simples e direta seria suficiente.

Em vez de dar ordens, sirva de modelo

Como seria se, a despeito dos erros e deslizes de nossos filhos, escolhêssemos conscientemente *servir de modelo* à medida que eles aprendem, em vez de *dar ordens* e esperar por obediência? E se lhes *mostrássemos* como agir em vez de *dizer* o que devem fazer? Precisamos abandonar de vez o velho ditado "Faça o que eu digo; não faça o que eu faço", pois essa é uma prática parental nociva. Devemos incentivar nossos filhos e ensiná-los pelo exemplo, especialmente quando cometem erros.

Detenha o Inspetor

Tal qual o Comandante, o Inspetor escolhe fazer o que pais e mães *não* deveriam fazer. Por que o sermão não é uma solução apropriada? Permita-me lembrá-lo de como você se sentiu ao ser criticado num contexto em que uma interação mais respeitosa teria garantido melhores resultados: horrível, diminuído, ignorado.

Nossos filhos buscam conexão. Eles querem a certeza de que realmente têm nossa consideração. Não desejam que cada um de seus equívocos resulte em mais um sermão da Mamãe ou do Papai. Alguns dos meus filhos vieram de ambientes bem hostis e se debateram com a própria identidade, lutando para acreditar que são importantes. Se recorro a sermões, transformando tudo em advertência, causo distanciamento em nossa relação.

Mas como deter o Inspetor?

Em vez de apenas corrigir, observe

Frequentemente, enfatizamos tanto nosso papel parental de Inspetor que perdemos de vista o coração de nossos filhos. Em vez disso, precisamos parar e observar o coração deles — questionando-nos sobre quem são e nos satisfazendo com a resposta — antes de procurar ensiná-los. Quantos pais e mães dedicam tempo a conhecer os filhos? O que nossas crianças e nossos adolescentes valorizam? Que sonhos eles têm? Como veem o mundo que os cerca? Que motivos existem por trás de suas escolhas? A causa de determinados comportamentos nem sempre corresponde ao que pensamos ser, e podemos optar por reagir de modo diferente depois de escutá-los e conhecê-los em vez de tirar conclusões precipitadas. Recentemente, minha filha de 16 anos se envolveu em confusão por algo que ocorreu em um de seus perfis em rede social. Kristin e eu discutimos o assunto e decidimos quais seriam as consequências. Porém, quando nos sentamos com nossa filha, irrompeu uma batalha que durou algumas horas. Quanto mais ela contestava, mais firmes nos mostrávamos quanto aos desdobramentos de sua atitude. E assim foi até que algo extremamente valioso aconteceu. Começamos a prestar mais atenção ao que ela dizia. Demos abertura para que ela expusesse seu ponto de vista e realmente a escutamos (o que pode ser bem difícil para gente obstinada como nós). Descobrimos, então, que nossa compreensão acerca daquele episódio não coincidia com o que de fato tinha acontecido. E só descobrimos isso porque demos à nossa filha liberdade para se explicar e a escutamos ativamente. Por favor, entenda aonde quero chegar: quando há más escolhas, é sim necessário que se aplique uma disciplina, talvez de imediato. Mas dedique um tempo extra para descobrir o que se passa no coração e na mente de seu filho, e realmente escute essa criança ou esse adolescente antes de definir como irá disciplinar.

A escolha consciente de conectar-se com seu filho não implica rendição passiva. Significa adotar uma conduta diferente daquela sob a qual você foi criado ou daquela que lhe parece mais confortável. Como diz meu grande amigo Jason Morriss: "Evitar constrangimentos, repreensões e lições de moral e observar a incrível capacidade de nossos filhos, apreciando seus talentos e admirando-os sem reservas, é a melhor forma de educá-los". Afirmo por experiência própria: pais e mães acertam em cheio quando fazem isso.

Ao criticar nossos filhos, reforçamos a imagem que eles já têm de si. Em muitos casos, há dentro deles um hóspede sombrio e cheio de autocensura, insegurança e vergonha. Todavia, quando os observamos, apreciamos, amamos e nos mostramos compassivos, conseguimos ajudá-los a substituir esse hóspede por confiança e conexão.

Em vez de "Como pôde fazer isso?", "Eu te amo"

Gritar "O que deu em você?" ou "Como pôde fazer isso?" é o mesmo que menosprezar. Nossos filhos podem não ter a menor ideia de qual seja a resposta. Precisamos entender que eles possivelmente não tinham má intenção. Em muitos casos, a impulsividade é parte do desenvolvimento natural, até mesmo bem depois de o indivíduo chegar à maioridade. Se os seus filhos têm um pouco em comum com os meus, também pode ser que a região cerebral responsável pelo raciocínio seja deficitária ou ineficiente em razão de algum trauma. Pode ocorrer, ainda, de uma desordem do espectro alcoólico fetal prejudicar, de modo irreversível, habilidades do córtex pré-frontal. Qualquer que seja o cenário, é possível que pais e mães deduzam que os filhos estão mentindo quando, na verdade, ocorre apenas de o cérebro infantil (ou adolescente) ser incapaz de operar como o de um adulto sadio. Portanto, vamos dar aos nossos adolescentes e crianças o benefício da dúvida. Quando eles pisarem na bola, saibamos dizer: "Eu amo você assim mesmo" e reforçar essa afirmação com gestos amorosos, pois nossos atos falam mais alto que nossas palavras.

O que fazer com erros do passado

Talvez você esteja se remoendo de remorso por ter errado com seus filhos em situações passadas. Ouça-me: pare de se condenar. Você é humano. Você e eu cometemos erros, e às vezes eles são muitos. Talvez você tenha se identificado bastante com o perfil Sonhador, Amigão, Comandante ou Inspetor, e agora se sinta cheio de culpa. Pode ser que, no auge da emoção ou da frustração, tenha recorrido a constrangimentos ou a sermões ao lidar com seu filho. Pode ser também que você tenha sido muito passivo ou permissivo e acabou perdendo boas oportunidades de educar com firmeza. Não desanime; continue aqui comigo. Estamos prestes a encontrar tesouros. Viver é aprender, e pela graça de Deus podemos recomeçar do zero hoje mesmo. A graça torna tudo novo, inclusive você!

Se nenhum dos quatro estilos de parentalidade anteriormente discutidos garante um relacionamento duradouro e inspirador com nossos filhos, então o que é capaz de fazer isso? Como podemos agir com verdade e amor ao lidar com nossas crianças e adolescentes?

A resposta é: por meio da abordagem parental Influenciadora, que investigaremos a seguir.

PAUSA PARA REFLEXÃO

Faça um ou dois dos exercícios propostos abaixo, conforme as abordagens que melhor correspondam ao seu estilo parental.

1. Sonhador: Liste os aspectos que você considera reprováveis em seu relacionamento com seu filho. Escolha um item da lista e defina como você pode reconhecer essa deficiência ou mesmo usá-la como ponto de partida para desenvolver

uma relação saudável e *verdadeira* no lugar de uma interação fantasiosa.
2. Amigão: Planeje uma conversa com seu filho. Diga a ele quanto o ama e explique-lhe a importância do seu papel de orientador e autoridade na vida dele.
3. Comandante: Elabore uma lista das coisas que você pode dizer ao seu filho como expressão de compaixão e aceitação. Exemplos: "Isso deve ter deixado você arrasado" ou "Eu ainda amo você, e será assim para sempre". Releia essa lista todos os dias, a fim de ter essas afirmações em mente quando necessário.
4. Inspetor: Registre num papel as características de seu filho que você considera brilhantes, admiráveis, divertidas e encantadoras. Com base nesse registro, escreva um bilhete de incentivo para ele.

PARTE II
EDUCAR PARA CONQUISTAR

5

Minha sogra me ensinou tudo o que sei sobre influência

Dica 1: Influencie combinando amor e disciplina

Minha esposa se dá muito bem com a mãe dela. Elas conversam por telefone quase todos os dias, às vezes durante horas, sobre todo tipo de assunto — de criação de filhos a atividades na igreja, de casamento a política, de culinária a planos para o feriado. Quando ouço por alto algumas risadas ou comentários engraçados, chego a pensar que Kristin está falando com uma amiga; depois, acabo descobrindo que era com a mãe. Eu costumava me aborrecer com a cumplicidade delas, mas hoje considero minha sogra uma de nossas maiores incentivadoras na tarefa de educar filhos, no trabalho com a igreja, e também agora que atuamos como autores e palestrantes.

Kristin e a mãe são as melhores amigas uma da outra, mas não foi sempre assim. Na infância e na adolescência de Kristin, a mãe dela não se comportava como Lorelai Gilmore nem como Buddy, o elfo. Contudo, também não era a Sargento Megera nem o Sr. Strickland. Ela era *influenciadora*, colocando em prática uma sólida combinação de amor, orientação, amizade e disciplina; além disso, estabeleceu limites firmes e nunca hesitou a esse respeito. Minha sogra sabia que, em certas situações, a coisa mais amorosa que um pai ou uma mãe pode fazer é manter-se consistente até o fim, ainda que aqui ou ali a jornada seja excruciante.

Minha esposa é primogênita, assim como eu. Nós dois somos do tipo que testa limites. Kristin afirma ter sido uma criança "teimosa, questionadora, obstinada". Um dia desses, ela veio me relatar algo que aconteceu quando cursava o ensino médio: "Mamãe e eu fomos almoçar juntas e tivemos uma tarde ótima conversando, contando as novidades e rindo do garoto esquisito que atendia no balcão da lanchonete. Éramos amigas. Ela sempre separava tempo para estar comigo e com meus irmãos. Demonstrava interesse em mim, no que eu sentia e em quem eu era.

"Contudo, ela sabia ser mãe. Naquela mesma noite, fui a uma partida de futebol americano. Eu deveria estar de volta no máximo até as 23 horas, mas cheguei às 23h25, e ela estava à minha espera. Disse calma e objetivamente: 'Onde você estava?'. Encolhi os ombros; então, Mamãe continuou: 'A regra é voltar às 23 horas. Você está atrasada'.

"Argumentei que eram só 25 minutos, mas ela insistiu: 'Regra é regra. Você ficará de castigo no fim de semana'. E parou aí. Não me passou sermão, não desdenhou de mim, nem me explicou como funciona um relógio. Disse aquelas frases calmamente e pronto. Também se manteve irredutível na disciplina. O fato de termos passado uma tarde agradável juntas não invalidou a responsabilidade dela como mãe. Eu saí das rédeas, e ela me domou. Tenho muito respeito por meus pais porque eles jamais negociaram limites".

Uau! Pare e reflita sobre o que acabou de ler. Eu poderia encerrar este livro agora mesmo. Poderia simplesmente dizer: "Faça isso!". Mas vocês me mandariam *e-mails* deselegantes acusando-me de tentar ganhar dinheiro fácil com este material; então, vou adiante.

Minha esposa prosseguiu explicando que, na infância e na

adolescência, ela tivera vários amigos cujos pais se comportavam como Lorelai Gilmore, Buddy, o elfo, a Sargento Megera ou o sr. Strickland. Pelo que ela sabe, hoje, passados mais de vinte anos, nenhum deles tem um relacionamento sadio ou bem firmado com o pai e/ou a mãe. Kristin me contou sobre uma amiga do colégio que podia fazer tudo o que bem entendesse. "Puxa, eu tinha muita inveja dela", confessou. "Ela podia ficar fora até tarde, ir à casa de qualquer um, e nunca teve nenhum problema. Eu sempre pensava: 'Isso é que é vida'. Parecia um sonho."

Mas não era. Os pais dessa moça acabaram se divorciando, e a família degringolou. A falta de pulso daquele pai e daquela mãe era apenas parte de um grande conjunto de problemas — um efeito colateral de outras questões que tinham de enfrentar. E Kristin pôde ver o profundo impacto da educação complacente que a amiga recebera.

Aquele casal era negligente, desconectado e equivocado quanto à criação dos filhos. Em contraste, os pais de Kristin exerciam boa influência.

Pais e mães Influenciadores sabem aproveitar as chances de se conectar com os filhos, e sabem fixar regras claras e ater-se a elas. Compreendem que, se aplicada quando necessária, a combinação de amor, conexão, limites saudáveis e disciplina resulta em influência máxima. Como muretas de proteção, estabelecem fronteiras seguras que dão espaço para manobras e situam-se a uma boa distância do perigo. Também possibilitam certa dose de "toma lá, dá cá" e permitem que os filhos sejam mantidos em liberdade e segurança ao mesmo tempo.

Quando fui pastor de jovens, falei com muitas crianças e adolescentes que diziam coisas como: "Meus pais não se importam com o horário em que volto para casa, nem com minhas amizades. Não ligam se fico acordado até mais tarde e não se preocupam com o tipo de filme a que assisto ou *site* que visito". Em geral, por diversas razões, esses filhos se revelam frustrados com os pais. Mas a principal afirmação que ouvi repetidas vezes foi: "Meus pais não se importam". Até onde vai o amor desse pai e dessa mãe? Será que vai longe o suficiente para se valer da grande dádiva que é ter filhos (a saber, a possibilidade de influenciá-los)? Ou apenas o bastante para que se sintam confortáveis em relação aos filhos até que um desastre bata à porta?

Pais e mães Influenciadores têm profundo cuidado com seus filhos. Almejam aproveitar momentos que possibilitem intensificar essa relação — oportunidades de encorajar e fortalecer a criança ou o adolescente. Também tiram proveito de ocasiões em que podem exercer seu papel de guiar, conduzir, estabelecer limites benéficos e disciplinar. Num mesmo dia, a mãe de Kristin almoçou e deu boas risadas com a filha, e depois cuidou de reforçar as regras. Ela não deixava que uma versão idealizada desse relacionamento parental lhe tirasse o foco. Não estava preocupada com a possibilidade de Kristin desgostar dela caso fosse submetida às consequências de quebrar uma regra claramente fixada. Minha sogra aplicou uma sentença razoável de maneira calma e amorosamente firme.

Todos desejamos exercer uma parentalidade Influenciadora. Para tanto, precisamos usar nossa influência na hora certa, de modo apropriado e fundamentado em amor. O equilíbrio entre amor e disciplina lança nova luz sobre a relação com nossos filhos e ajuda a garantir resultados que muita gente procura alcançar por meio de métodos ineficazes.

Compreender essa primeira dica é, provavelmente, o que de mais importante um pai ou uma mãe pode fazer. Sim, você tem influência sobre seus filhos. Mas será que sabe usá-la da melhor forma? Como você acha que pode começar a assumir o papel de bom influenciador?

Acredite que suas atitudes contam

Muitos pais e mães balançam a cabeça negativamente quando lhes digo que seus filhos — inclusive os adolescentes — os observam. Simplesmente não acreditam nisso. Talvez a cultura *pop* ou as experiências que tiveram na infância tenham produzido crenças muito enraizadas dentro deles. Contudo, devemos crer que exercemos tal influência. Posso apostar que você escolheu este livro por desejar aprender sobre como conquistar o coração de seu filho. Você teme por todas as coisas deste mundo que disputam o controle da vida e da alma dessa criança ou adolescente. Eu sei disso, e estou do seu lado. Porém, o desafio que quero lançar é este: se você não acreditar que exerce influência sobre a vida de seu filho, o restante deste livro não fará sentido nenhum. Esse é o ponto de partida. Estou ciente de que o conselho "Acredite em você" já virou clichê, mas ainda é válido. Para desfrutar da melhor relação possível com seu filho, você tem de acreditar no dom que recebeu.

Pense em longo prazo

Você deve encarar a parentalidade como um investimento em longo prazo. Tratarei desse assunto com mais detalhes no capítulo 15, mas é importante citá-lo aqui. O dinheiro poupado para a aposentadoria ou para o colégio do filho não se acumula nem rende dividendos poucos anos depois de investido. De modo semelhante, você não verá plenamente os frutos de sua influência parental tendo percorrido essa estrada apenas por um curto período. Hoje, Kristin tem uma relação enriquecedora e cativante com a mãe dela, mas trata-se de algo que se desenvolveu por mais de vinte anos. Sejam seus filhos ainda crianças, pré-adolescentes ou adolescentes, eles carregarão por toda a vida os efeitos daquilo que você faz agora.

Lembre-se de seus porquês

Há muitos anos, tive a oportunidade de passar um dia em Nashville, no Tennesse, com o mentor e *expert* em liderança Michael Hyatt. Durante o almoço, ele comentou: "As pessoas perdem o foco quando perdem seu porquê". Quando não sabemos a razão de estarmos fazendo algo, quando nos esquecemos de nosso propósito, então nos perdemos. E isso não pode ser mais verdadeiro do que na jornada parental. Na época em que pastoreei jovens, conheci muitos pais e mães despedaçados pela angústia de se verem distantes de seus filhos adolescentes. Era evidente que esses homens e mulheres haviam perdido de vista seu propósito como pais e mães e, portanto, não sabiam como prosseguir. Não conseguiam se lembrar da paixão que outrora haviam experimentado. Lembre-se de que você está nessa porque ama seu filho e, em última análise, deseja educar um ser humano que revele bom caráter e integridade e que atue de modo relevante no mundo.

Comprometa-se com o aqui e o agora

Continue mirando o futuro e sonhando com ele, mas viva no presente. Pense em longo prazo quanto ao investimento de que falamos, mas não se prenda a fantasias do tipo "Um dia, quem sabe...". Às vezes, achamos que superado o estágio de provas — trocar fraldas, conduzir de um lugar a outro, lidar com respostas insolentes — alcançaremos uma era de ouro marcada por paz e harmonia. Mas perdemos tanta coisa no presente quando nos apegamos ao futuro! Cada nova etapa traz um novo desafio. Quando finalmente me vi livre de, a cada temporada de férias, ter de encher o *trailer* com toda aquela parafernália para bebês, tive de começar a lembrar as crianças de jogar fora o lixo que deixavam na *van*. Mantenha o foco na fase atual e atente-se para quem são seus filhos agora.

PAUSA PARA REFLEXÃO

1. Que passos práticos você pode dar a fim de tirar máximo proveito de sua condição de pai ou mãe? Dito de outra forma, como pode aproveitar essa oportunidade de amar e influenciar seus filhos de modo genuíno, positivo e sadio?
2. Pense nos estilos nocivos de parentalidade descritos nos capítulos 3 e 4. Você tende a se enquadrar em qual deles? De que maneira você pode combinar amor e disciplina visando mudar essa abordagem e conquistar o coração de seus filhos?

6
Você ainda está no páreo

*Dica 2: Saiba o que é a Grande Guinada
e acolha-a*

Durante o ano, às vezes acompanhado de Kristin, percorro o país falando a grupos de pais sobre adoção e acolhimento familiar. Abordo o conceito de influência parental, o papel espiritual de pais e mães e muitos outros assuntos. Amo viajar. Recentemente, num período de apenas oito dias, fui de casa, em Indianápolis, até Seattle; depois a Denver; então a Breckenridge, no Colorado; Denver de novo; Colorado Springs; Denver novamente; e, enfim, voltei para Indianápolis. Ufa! O simples ato de listar todos esses lugares já é cansativo!

No último voo, saindo de Denver, eu não via a hora de chegar em casa. Além de exausto, estava abatido por um resfriado. Eu me vi atravessando a porta de casa, meus filhos correndo em minha direção, vindos da sala. Podia imaginar minhas filhas me abraçando e ouvindo-as dizer que tinham sentido saudade. Felizmente, o voo era noturno, então nenhum passageiro notou meu sorriso bobo nem minhas lágrimas. De fato, quando passei pela porta de casa naquela noite, fui recebido por meus rapazinhos e minhas belas meninas, e revi toda aquela cena vislumbrada de antemão, agora acontecendo de verdade.

Retornar para casa depois de atravessar o país viajando é uma de minhas atividades favoritas justamente por causa desse reencontro da volta. Se você tem filhos pequenos, ou se já os teve, provavelmente experimentou algo parecido. Essa é uma das ocasiões prediletas de pais e mães. Também apreciamos quando nossos filhos querem passar um tempo conosco. Vez ou outra pode ser exaustivo, sobretudo para mães e pais que ficam em casa em tempo integral, mas em geral é ótimo. No começo da vida, nossos filhos acham que somos o mundo. Até os 9 ou 10 anos, querem nossa companhia em tudo. Eles pensam em nós durante o tempo em que estão na escola, e é para nós que querem contar tudo o que aconteceu no dia. Eles nos procuram com seus mal-entendidos, seus medos e suas frustrações.

Você é o centro da vida de seu filho e, por isso, é a voz de maior influência para ele — em termos espirituais, intelectuais e emocionais. Quando criança, seu filho encara a vida a partir de você, em todos os aspectos. Pense em sua vida agora, já adulto, e pergunte-se: "O que eu faço agora e que minha mãe ou meu pai também fazia?". Aposto que você consegue listar algumas coisas. Isso é influência. Alguns de nós desfrutamos de uma espiritualidade forte em razão da influência de nossos pais. Alguns poupam dinheiro por ter convivido com pais econômicos. Outros imitam a firme ética profissional dos pais ou sua obstinação pelo sucesso. Você define muito do caráter e das prioridades que seu filho terá no futuro, e faz isso durante os primeiros dez anos dele, período em que ele acata suas palavras e almeja ser como você. Filhos pequenos acham que seus pais seguram a lua e as estrelas. Você ocupa o topo do *ranking* de influência sobre eles:

1. você
2. outros adultos
3. amigos
4. cultura

Logo depois dos pais, vêm outros adultos: professores, treinadores esportivos, monitores de escola dominical, vizinhos, avós, tios. Em seguida, vêm os amigos: da vizinhança, da sala de aula. Então, a cultura. Lá em casa, nossos filhos gostam muito de programas e desenhos animados da Disney, mas não são fortemente influenciados por eles. Claro que às vezes ouvimos citações do Bob Esponja ou falas de filmes, mas isso não corresponde a influências significativas e decisivas.

É bom estar no topo, não é? Não há nada como ser o número 1 e apreciar a vida com o filho. Porém, por volta dos 11, 12 ou 13 anos, ocorre uma mudança que parece repentina.

Em um artigo intitulado "Adolescência e a influência dos pais", Carl E. Pickhardt explica:

> Os pais subestimam completamente quanto são observados e continuamente avaliados por seus filhos. Do alto da vaidade de sua posição superior, pais e mães preferem pensar que conhecem muito bem seus meninos e meninas — isso no melhor dos casos. Não fosse assim, o fato de serem objeto de escrutínio tão aguçado e persistente poderia torná-los muito conscientes de si, para seu próprio consolo.
>
> Entretanto, da infância para a adolescência e daí para a vida adulta, o estímulo crítico para essa avaliação tende a mudar. A tendência da criança é idealizar os pais; a do adolescente, refutá-los; e a do jovem adulto, racionalizar a criação que tiveram. É assim que a coisa costuma funcionar.
>
> A criança (até os 8 ou 9 anos) admira e até mesmo reverencia pai e mãe pelo que podem fazer e pelo poder que têm de autorizar e desautorizar. A criança deseja se conectar com os pais, desfrutar da companhia deles e imitá-los no que for possível. Ela quer se igualar a esses adultos (em geral, muito bem avaliados) e ser aceita por eles — considerando que a convivência familiar

não seja nociva ou perigosa, cabe ressaltar. A criança se identifica com os pais porque eles lhe oferecem os primeiros modelos a serem seguidos. Por isso, a avaliação que ela faz desses pais começa como idealização. No início, e daí por bastante tempo, pai e mãe costumam parecer bons demais para ser verdade.[1]

Note que ele usa os verbos *idealizar*, *admirar*, *reverenciar* e *igualar-se*. Se você tem, ou já teve, um filho nessa faixa etária, é provável que saiba a que o autor se refere.

Uma escala bem diferente

Na adolescência, o *ranking* muda, surpreendendo boa parte dos pais e das mães. Numa noite qualquer, você vai para a cama ocupando confortavelmente o topo da lista de influências de seu filho e, ao acordar na manhã seguinte, está tudo fora do lugar:

1. amigos
2. cultura
3. outros adultos
4. você

"O que aconteceu?", você se pergunta, talvez com algum pavor. É possível que se lamente com Deus ou com um amigo, pois algo mudou em seu garotinho ou garotinha. Ele não o cumprimenta mais ao chegar em casa e já não quer tanto sua companhia: agora, dá atenção a outras vozes.

Isso costuma acontecer com filhos pré-adolescentes ou mesmo adolescentes. De repente, os amigos são tudo para eles. Você diz à sua menina que a roupa dela não está combinando e que aqueles sapatos vão deixá-la desconfortável. Ela revira os olhos e faz uma careta; afinal, a amiga vive dizendo que aquele *look* é "um arraso" e que os tais calçados são "tuuuudo".

É assim com qualquer coisa: músicas, filmes, cultura em geral, expressões (alguém aí também não suporta que digam "lacrou", "eu shippo" ou "trollei"?) etc. Quando a Grande Guinada acontece, os amigos dão um salto duplo *twist* carpado para o topo da influência e a cultura subitamente sobe de nível, seguida por outros adultos. Então, o quarto lugar é de vocês, pai e mãe, que trouxeram à existência aquele humano teimoso e desafiador ou que escolheram recebê-lo em casa por adoção.

O dr. Pickhardt continua:

> Vem a adolescência (que se inicia na faixa dos 9 aos 13 anos), e os pais são expulsos do pedestal. Se, para a criancinha, eles não faziam nada de errado, para o adolescente, não fazem nada certo. O que causou a queda súbita dessa popularidade? Acaso os pais se transformaram? Não. Mas o filho, sim — e ele tem motivo para isso.[2]

Nessa fase, infelizmente, muitos pais e mães desistem, afastam-se dos filhos ou se fecham. Eles percebem que algo mudou e concluem que é inútil esperar que o filho adolescente os escute ou se importe com qualquer coisa além do próprio umbigo. Nesse estágio, é comum que, movidos pelo desespero, tanto pais quanto mães intensifiquem o modo Amigão — tentando ser parceiros do filho — ou o modo Comandante — controlando cada movimento do adolescente. Podem ainda apegar-se avidamente à fantasia da família perfeita idealizada pelo Sonhador ao mesmo tempo que lamentam o insucesso de sua esperança ilusória. Há quem se torne Inspetor, dedicando-se a sermões em resposta à Grande Guinada, a qual não consegue entender. Existem também aqueles que saltam de uma estratégia para outra quando as coisas não saem como o esperado.

Ao descobrir que passou para a quarta posição, você pode reagir com pânico, desalento, recuo, excesso de controle... o que significa que deixou passar despercebida esta notória verdade: *Você ainda está na lista!*

Veja bem. Lá está você, o número 4. Sim, você desceu muitos degraus, e os amigos de seu filho parecem bem mais poderosos agora. Além disso, esse filho se deixou capturar por uma cultura que exige compromisso. Todavia, você ainda está na lista de vozes influentes.

Nesse cenário, não é nada difícil jogar as mãos para o alto e se render. Não é nada difícil acreditar que já não há mais nenhuma chance de viver uma relação saudável com seu filho, em especial se vocês discutem muito. Kristin e eu passamos por isso várias vezes. Na realidade, estamos no mesmo buraco que você, com dois adolescentes em casa. Depois de muita tentativa e erro — principalmente erro —, chegamos à importante verdade que mencionei anteriormente: *a voz do pai e a da mãe ainda são as mais influentes na vida de um filho.* Isso é fato, concorde você ou não. Não é fácil notar, mas seus filhos ainda olham para você como modelo de vida. Eles parecem seguir tudo o que os amigos e a cultura afirmam, e com frequência você tem a impressão de que é ignorado ou que evaporou. Apesar disso, seus filhos ainda o escutam discretamente e precisam de você. Um dia, os ideais deles se revelarão muito parecidos com os seus.

Contudo, sua voz não é a *única*. E é bom que você reconheça e aceite isso em benefício de sua própria jornada parental. No próximo capítulo, abordaremos a sabedoria de voluntariamente ampliar o círculo de influências sobre seu filho. Por ora, vamos analisar algumas recomendações sobre o que fazer e o que não fazer quando ocorre a Grande Guinada.

Alertas para quem ocupa o quarto lugar

Não é impossível educar um filho nessa etapa. Pode acreditar. Eu sobrevivi, assim como muitos outros pais e mães. Na realidade, não se trata apenas de sobrevivência: tem a ver com progresso e com a construção de uma relação tal com seu filho que no futuro vocês colham excelentes frutos. Permita-me guiar você por uma estratégia testada e aprovada.

Há muitas coisas que você *não* deve fazer ao acordar de repente e se dar conta de que a Grande Guinada aconteceu:

1. *Não entre em pânico.* Sei que é difícil evitar. Sei que você se sente tentado a ceder às emoções, mas não faça isso. Lembre-se: é uma fase, e não uma sentença irreversível para seu filho ou para o relacionamento de vocês.
2. *Não aja como um Sonhador.* Evite a armadilha da fantasia e da idealização acerca de seu papel de pai ou mãe e do relacionamento com seu filho.
3. *Não procure ser o Amigão de seu adolescente.* Ao longo dos últimos dezesseis anos, aconselhei inúmeros pais e mães que resolveram agir com o filho na base da camaradagem, numa tentativa de competir com a influência da cultura. Não funciona.
4. *Não aja como um Comandante.* Em situações de pânico, é possível que você se torne hiper-restritivo e enérgico, exigindo pleno cumprimento de todas as regras. É verdade que você precisa estabelecer e manter limites saudáveis, mas eles não precisam coincidir com os que são fixados para crianças pequenas. E as consequências de não serem observados devem ser passíveis de negociação.
5. *Não aja como um Inspetor.* Quando não damos conta do recado, é fácil cair na tentação de transformar tudo em

reprimenda. Mas é preciso sabedoria para corrigir apenas quando necessário; caso contrário, você corre o risco de afastar seu filho. Na maioria dos casos, basta falar somente uma vez e encerrar o assunto.

Então, o que se *deve* fazer diante da Grande Guinada? Eis as recomendações mais importantes:

1. *Mantenha o rumo.* A regra de ouro para quem despenca do primeiro para o quarto lugar é "Sem pressa e sem pausa". Continue com as mãos no volante, olhos à frente, e mantenha o rumo. Não surte (ou faça isso apenas na companhia de outro adulto) e não recorra às estratégias ineficazes descritas anteriormente.
2. *Oriente em vez de apenas impor.* Esta é uma oportunidade de instruir seu adolescente, de ensinar e modelar uma conduta firme, gentil e tranquila; é hora de guiar em amor. Nem sempre ele vai querer ouvir o que você tem a dizer, mas, lá no fundo, vai acolher os pequenos conselhos. Sim, você deve definir e reforçar as consequências da quebra de limites. Discipline quando necessário, mas, como em qualquer outra condição, não seja hostil.
3. *Dê espaço para que o adolescente seja ele mesmo.* Lembre-se, adolescentes são seres humanos livres para pensar e sabem o que querem. Você precisa deixá-los respirar. Não seja a mãe ou o pai dominador que rastreia cada passo do filho. Não somente deixe-o desvendar o próprio caminho, mas incentive-o a isso. Estabeleça limites que garantam bastante espaço para uma individualidade saudável.
4. *Preserve as fronteiras.* Embora você deva dar espaço para seu adolescente, isso não quer dizer que os limites e as regras

devam ser extintos. Desrespeito continua sendo uma atitude intolerável, assim como escolhas nocivas. Pode ser que você precise ajustar alguns limites a fim de que sejam mais adequados para essa fase, mas é fundamental que continuem existindo.

5. *Busque uma rede de apoio.* Não posso ser mais enfático aqui. Você precisa de interações regulares com dois ou três pais ou mães com quem possa descarregar o caminhão de emoções vindas de todo aquele drama adolescente. É necessário fazer cara de paisagem na frente do filho; portanto, disponha de uma rede de apoio que sirva de válvula de escape.

6. *Aceite o quarto lugar.* Aprenda a se sentir confortável nessa posição. Realmente, não há escolha; é assim que vai ser. Você deve permitir que o círculo de influências se amplie nessa fase. Valorize e apoie o trabalho do líder de pequeno grupo ou do pastor de jovens de sua igreja; eles são capazes de apresentar a mesma verdade que você vem transmitindo ao seu filho e promover melhores resultados. É difícil ouvir que seu adolescente reage de maneira positiva a outros adultos, sabendo que ele não quer nem ouvir o que você tem a dizer. Mas, como aliados providos por Deus, essas pessoas trarão muitos benefícios a você e ao seu filho.

PAUSA PARA REFLEXÃO

1. Como você reage à ideia da Grande Guinada? Ou, se já passou por ela, o que tem a dizer? Que ações alternativas poderiam aprimorar sua reação natural a essa mudança?
2. Se seu filho ainda não passou pela Grande Guinada, identifique uma ou duas maneiras de se preparar para quando ela acontecer.

3. O que impediu (ou pode impedir) você de manter-se no rumo com seu filho? Como é possível reverter isso?
4. De que maneiras você pode se beneficiar do apoio de outros pais e mães? Quem seriam essas pessoas?

7
É preciso aumentar sua rede de influência

Dica 3: Busque outras vozes influentes

Por várias vezes, liderei grupos de adolescentes em conferências de verão que duravam uma semana, em Michigan. Era o maior evento para jovens oferecido por nossa igreja, e o impacto dele permanece até hoje na vida daqueles jovens. Todo mês de junho, lotávamos um ônibus de estudantes que buscavam transformação espiritual e perspectiva renovada para a vida. Ao retornar, mostravam-se prontos para colocar o mundo de cabeça para baixo, "queimando por Jesus", como dizíamos. O coração deles se enchia de amor, compaixão e atenção aos colegas.

Ainda mais valiosos eram os relacionamentos que se firmavam entre aqueles estudantes e os adultos que os supervisionavam. As reuniões diárias em pequenos grupos liderados por esses adultos se provaram indispensáveis. Todo ano era assim. Quando deixávamos a igreja na segunda-feira pela manhã, os jovens se agrupavam entre si, como é de se esperar. Uma semana depois, na viagem de volta, os grupinhos já não existiam, e os estudantes chegavam a competir para sentar perto de alguns adultos no ônibus. Era maravilhoso de se ver.

No verão de 2003, com alguma relutância, um calouro chamado Bradley participou pela primeira vez de uma dessas conferências. Alguns amigos o convenceram a se inscrever, mas acho que uma garota bonita também influenciou essa decisão. A vida de Bradley mudou na viagem. Embora toda sua família frequentasse nossa congregação, ele vinha se mostrando emocionalmente distante da igreja, da fé e dos relacionamentos em geral. Naquele verão, num episódio que mais tarde Bradley considerou ter sido seu encontro na estrada de Damasco, ele conheceu pessoalmente o verdadeiro Cristo. Bradley estabeleceu um forte vínculo com Joe, o adulto que esteve à frente de seu pequeno grupo naquela conferência. O garoto se identificou com a história de infância de Joe e, ao voltar para casa, quis ser batizado por esse líder — Joe ficou empolgado; era a primeira vez que conduziria um batismo.

No domingo seguinte, porém, as coisas haviam mudado de figura. Bradley contou a Joe que seus pais se opuseram ao batismo. A empolgação se transformou em desapontamento, e o entusiasmo começou a se dissipar. O garoto sabia que poderia ser batizado quando fosse mais velho, mas a energia de um adolescente pode se extinguir num segundo caso os adultos não partilhem de seu ponto de vista.

Dias depois, os pais de Bradley apareceram em meu gabinete desolados com o fato de o filho ter escolhido Joe para o batismo. Fiquei totalmente confuso.

— Nada contra o Joe — justificou o pai. — Gosto dele, é nosso amigo há bastante tempo. Mas é que... sempre achamos que nós é que batizaríamos nossos filhos. Sempre lemos a Bíblia juntos em família. Fizemos de tudo para assegurar a eles que podem contar conosco para qualquer coisa. Não entendo porque Bradley escolheu Joe e não a mim. Digo, supõe-se que eu é que devo exercer influência espiritual sobre ele, certo?

Assenti demonstrando empatia. Então, peguei-os de surpresa:

— Vocês podem ser a voz mais influente na vida de seus filhos, mas há outras vozes.

— Não — retrucou a mãe, perplexa. — Somos chamados a ser a influência espiritual mais importante para nossos filhos. Acabamos de falar sobre isso num estudo bíblico.

— Sim — respondi. — A mais importante, mas não a única.

Expliquei-lhes sobre a Grande Guinada e deixei claro que precisavam valorizar o fato de haver outros adultos comunicando a verdade a Bradley.

Esse é o ponto deste capítulo. Quando nos damos conta de que nossa posição no *ranking* de influência despencou, focamos a fase pós-Guinada. Sentimo-nos fortemente propensos a lutar pelo controle, impor bom comportamento ou tentar conquistar nossos filhos tornando-nos amigos deles. Mas essas coisas só fazem abrir um fosso entre nós e nossos adolescentes. De fato, podem até causar prejuízos irreparáveis. Enquanto escrevo este livro, sinto-me bem no olho desse furacão com as duas adolescentes que temos em casa. Hoje mesmo, pela manhã, quando a de 15 anos revirou os olhos e discutiu comigo, tive de lembrar a mim mesmo de que não sou a única influência na vida dela.

Se você acabou de despertar para essa dura realidade, o que fazer? Aumente o círculo de influência sobre seu filho ampliando o contato com outras vozes construtivas. Honre essas pessoas. Incentive-as. Promova-as. Seja grato a cada mentor, líder de pequeno grupo, professor, vizinho, tio ou tia, monitor de escola dominical, líder de turma, pastor de jovens, tutor, técnico e amigo que se dedica a investir na vida de seu filho.

Como saber se sua rede de influência é ampla o bastante

Isso pode lhe parecer um conceito novo, mas pense em todas as pessoas zelosas que o Senhor colocou na vida de seu filho além de você. Não descarte a influência delas. Não são adversárias; não há porque rejeitá-las ou competir com elas. Você não dá conta de cuidar de tudo que se refere a seu filho; por isso, precisa da ajuda de aliados. Refutar outras vozes positivas é desprezar opiniões e pontos de vista que seu adolescente precisa conhecer.

Levei algum tempo para reconhecer a importância de buscar outras vozes influentes e convidar adultos cuidadosos para juntar-se a mim na lida com a garotada de casa. Mas, quando veio a adolescência, percebi quanto precisava de gente que reforçasse o que eu dizia a meus filhos. Recentemente, Kristin e eu descobrimos como é determinante formar um amplo círculo de influência para nossos meninos e meninas. Uma de nossas adolescentes vinha passando por uma temporada extremamente difícil, o que acabou provocando um clima de tensão entre ela e nós. Estou sendo modesto; na verdade, foi um período terrível. Mesmo depois de ter liderado adolescentes no ministério de jovens por alguns anos, aconselhado centenas de famílias em duas décadas de serviço na igreja, e passado pela adolescência de nossas duas mais velhas (mais de dez anos antes), eu me senti completamente despreparado para passar por isso novamente. De fato, a sensação era quase de desespero. Com frequência, eu me via esgotado. Foi assim até que nossa filha saiu de casa para passar uns dias com nossos bons amigos John e Nicole. Mais que amigos, esses dois são como nossos irmãos. Nós os conhecemos na época em que morávamos em Indiana (já são quase vinte anos desde então), e eles tinham filhos da mesma idade que os nossos. Por também serem pais adotivos, temos experiências parentais muito semelhantes. Nesse período em que nossa filha ficou na casa de Nicole, essa amiga, que sabia das batalhas que vínhamos travando, soube escolher a hora certa para lhe comunicar a verdade. Tratava-se de algo que por meses vinha sendo dito em casa; mas desta vez surtiu efeito, pois havia outro adulto zeloso envolvido. Nossa filha voltou bastante arrependida e consciente de seus atos. O fato de ela ter dado atenção a outro adulto, e não a nós, não nos deixou intimidados nem frustrados. Ficamos gratos, pois buscávamos por isso desde que soubemos da existência de nossos filhos. Aguardávamos ansiosos por outras vozes que os influenciassem positivamente.

Não estou dizendo que o círculo doméstico perdeu sua importância e que nunca mais teremos problemas com a nossa filha. Ainda há muito chão pela frente. Mas, sendo parte de nossa rede de apoio, Nicole conseguiu em uma hora o que tentamos durante meses. Acreditamos que essa foi uma conquista para mim e para Kristin.

Não somos capazes de educar sozinhos os nossos filhos, especialmente em razão de os colegas deles e a cultura também estarem na arena. (Nenhum desses dois é necessariamente ruim. Lembre-se disso quando se sentir tentado a criticar a sociedade e/ou esses amigos só porque não consegue entendê-los.) Podemos escolher entre brigar por atenção e nos aliar a outras vozes. O que você prefere?

Joiner e Nieuwhof, em *Parenting Beyond Your Capacity*, apontam uma verdade notória que pais e mães precisam compreender: "Quando se trata de parentalidade, em qualquer de seus estágios, uma coisa é certa: chegará a hora em que pais, mães e filhos necessitarão de outro adulto por perto".[1]

Gostei que os autores tenham usado o verbo *necessitar*, porque se trata de uma necessidade, e não de mera vontade. Não acertaremos com nossos filhos em tudo. Eles podem não se sentir à vontade para conversar conosco sobre algumas questões importantes. E tudo bem. Faça de tudo para ouvi-los quando quiserem se abrir com você. Precisamos dedicar tempo para nos mostrar disponíveis aos nossos filhos, para desejar escutá-los; mas não se ressinta caso eles procurem outra pessoa para isso. Essa é uma conquista também.

Joiner relata que o próprio filho optou por contar ao líder de pequeno grupo algo sobre a garota de que estava a fim. O garoto não quis envolver o pai no assunto, o que não foi nada fácil para Joiner — talvez até o tenha deixado bastante pesaroso. Porém, Joiner afirmou que o filho "precisava de alguém que não o pai. Precisava de uma pessoa que se importasse, mas que não fosse responsável por ele. Alguém que lhe dissesse o que eu diria, mas que não colocasse regras".[2] Quando Joiner compreendeu essa necessidade, sentiu-se tranquilo por haver outro adulto zeloso disposto a cuidar de seu filho.

Creio que, se outros pais e mães chegassem a essa mesma compreensão, muitos relacionamentos com filhos adolescentes seguiriam uma nova rota. O que Bradley encontrou em Joe, seu líder de pequeno grupo, era o mesmo que o filho de Joiner necessitava. Espero que os pais de Bradley tenham se dado conta disso. Adolescentes carecem de conselhos, opiniões e orientações de outros adultos que defendam e falem as mesmas coisas que seus pais, mas que não tenham o peso da autoridade parental.

Filhos mais velhos precisam de um mentor: não um colega, mas um guia. Quando a vida parece sair do controle e não faz nenhum sentido — o que, para muitos adolescentes, ocorre quase que diariamente —, pode acontecer de nossos filhos escutarem outra pessoa, e não a nós. É por esse motivo que a abordagem do Amigão é arriscada. Pais e mães que se julgam totalmente capazes de atender essa necessidade negligenciam os recursos providos por Deus para resolvê-la — outros faróis que mostrem aos filhos como seguir em meio à tempestade e desviar das rochas.

Os adolescentes estão descobrindo o que significa ter a própria fé, os próprios ideais e as próprias crenças. É bom quando há outros adultos para ajudá-los a trilhar esse caminho. Há pouco tempo, nossa filha de 17 anos começou a namorar. Estávamos um pouco apreensivos porque aquela bebê que adotamos com 3 anos de repente passou a sair sozinha com alguém do sexo oposto. Mas confiamos que ela estava em boa companhia, pois nos garantiu que vinha se aconselhando regularmente com seu líder de pequeno grupo. Podíamos dormir tranquilos sabendo que uma voz influente, que não era a nossa mas que partilhava de nossos valores, a orientava.

Mais uma vez: se você está se martirizando por ter falhado no passado, deixe disso. Todos falhamos. Criar filhos é um aprendizado sem fim. Todos temos de assimilar novos conceitos, novos princípios. Vez ou outra, todos precisamos nos expor, às vezes depois de anos dentro de uma bolha. Isso não vale só para a educação de filhos, mas para a vida.

Como aumentar sua rede de influência

Quais as melhores formas de expandir o círculo de pessoas que influenciam seu filho?

1. *Amplifique as vozes virtuosas.* Escolha e defenda pessoas de bom caráter, que vivam com integridade e firme bússola moral, que tenham uma fé cativante, sejam amáveis e escutem sem apresentar críticas nem julgamentos, que saibam ser imparciais e não sejam invasivas diante de dramas familiares. Gente assim tem sabedoria para mostrar ao seu

filho como pensar e viver de maneira equilibrada. Exercite a vigilância a fim de assegurar que sua rede é formada por vozes insuspeitas.

2. *Amplifique as vozes daqueles que refletem seu coração.* Escolha indivíduos que, embora não tenham sua autoridade parental, espelhem seus valores e partilhem dos mesmos anseios em relação ao seu filho. Sempre procurei conhecer os pais e as mães dos jovens que pastoreei, em especial os dos rapazes do meu pequeno grupo. Eu queria conhecer o coração daqueles pais e mães tanto quanto o de seus filhos. Não queria de modo nenhum contrariar um pai ou uma mãe. Os outros adultos com quem seu filho convive partilham do que você sente por ele?

3. *Advogue em favor dos pequenos grupos de crianças e adolescentes.* Quando fui pastor de jovens, empenhei a maior parte dos esforços no treinamento e na capacitação de líderes desejosos de se envolver com seus pequenos grupos e de mentorear pré-adolescentes e adolescentes. Se a igreja ou a comunidade de fé que você frequenta tem condições e não investe na formação de líderes de pequenos grupos, está na hora de procurar outra. Estou sendo bem direto quanto a isso porque é do coração do seu filho que estamos falando.

4. *Celebre e promova o senso de identidade entre grupos de pais e mães.* Acredito muito no vínculo com uma grande comunidade de pessoas que dividem a mesma opinião. Kristin e eu sabemos que a adoção de filhos é uma experiência peculiar — passamos oito vezes por ela. Em razão de alguns de nossos filhos terem vivenciado traumas antes de chegarem até nós, temos de lidar com questões incomuns para muitas famílias. Muita gente não entende nossa forma de educar; então, percebemos que é essencial integrar uma comunidade

que nos compreenda. Contamos com essa comunidade e nos beneficiamos dela. Você precisa se juntar a pessoas que entendam seu contexto parental. Caso seja cristão, junte-se a um grupo de verdadeiros seguidores de Jesus.

Há muitos fatores a considerar quando se quer aumentar o círculo de vozes influentes. A rede de apoio pode incluir adultos que não integrem sua comunidade de fé — talvez um treinador, um professor, um parente. Certifique-se de avaliar cuidadosamente cada uma dessas pessoas.

PAUSA PARA REFLEXÃO

1. O que lhe vem à mente quando se trata de juntar-se a outras vozes que sirvam de influência para seus filhos? Você concorda com essa proposta? Discorda? Fica hesitante? Por quê?
2. O que você já fez para ampliar sua rede de apoio e expandir o círculo de influência sobre seus filhos? Ou como pretende fazer isso?
3. Quais são os maiores benefícios de se expandir essa rede?
4. Liste nomes de adultos zelosos que poderiam compor essa ampla rede de influência.

8

O tempo não é seu aliado

Dica 4: Use o tempo com sabedoria

Anos atrás, um amigo me convidou para falar em um jantar que reuniria treinadores e gestores de uma escola em Indiana. A única recomendação foi: "Diga algo desafiador e motivador".

"Sei o que fazer", pensei.

Contudo, à medida que se aproximava o dia do evento, peguei-me às voltas com o que deveria dizer. Escrevi, apaguei, escrevi de novo, amassei o papel e joguei-o no lixo. Andei de um lado para o outro no escritório de casa. Cheguei até a procurar esse amigo para pedir mais informações sobre o público — treinadores, professores e administradores de escola — e sobre o propósito do jantar.

Essa situação se estendeu por algumas semanas. Então, faltando poucos dias para o jantar, percebi que estava bem nervoso. Eu só havia palestrado para pais e mães, então aquele era um grande desafio. Enquanto me debatia acerca do que falar, volta e meia olhava para o calendário e dizia: "O tempo está acabando".

Então, finalmente me ocorreu: *tempo*!

"O tempo é tão escasso", refleti. "E ele voa. Logo mais aquela gente vai ver seus alunos saírem pelas portas da escola para nunca mais voltar. É sobre isso que preciso falar." Decidi desafiá-los a usar sabiamente o tempo de que ainda dispunham, a entender o poder da influência que exerciam sobre aqueles jovens e a aproveitar ao máximo cada dia.

Usei a metáfora do jogo de futebol americano (uma boa saída quando se fala a treinadores). Uma partida de futebol americano tem quatro tempos de quinze minutos cada, isto é, os *quarters*. Bastante, não? Na maioria dos casos, de início os treinadores não se prendem excessivamente à questão do tempo (ainda assim, bons profissionais ficam atentos ao relógio). Mesmo no vestiário, durante o intervalo entre o segundo e o terceiro *quarters*, muitos acham que têm todo o tempo do mundo. Eles traçam estratégias e esquemas e incentivam o time a atuar com mais afinco, ou a mudar o estilo de jogo.

Mas, no último *quarter*, devem prestar atenção ao relógio. É hora de aproveitar cada minuto de posse de bola. É hora de a defesa desestabilizar os adversários a fim de que o time sobressaia. É preciso ser esperto, fazer bom uso das oportunidades, pois a partida está prestes a terminar. Os segundos finais são decisivos, e o time que levar a melhor entrará para a história. Não haverá volta, nem segunda chance.

Incitei a plateia a aproveitar ao máximo o tempo com os alunos, muitos dos quais eram atletas. Instiguei aqueles homens e mulheres a se agarrarem às chances de acompanhar seus jovens, orientá-los e liderá-los. Mais importante: deixei claro que eles podiam exercer a melhor das influências.

Esse é o meu desafio para você. Como pai ou mãe, você não dispõe de muito tempo com seu filho. Mas, ao olhar para o bebezinho recém-nascido, ninguém se importa muito com esse tempo, pelo menos não de imediato. Poucos de nós realmente se dão conta de quão rápido o tempo passa.

Assim como Kristin e eu ouvimos de nossos pais, você deve ter escutado de seus pais ou de outro pai ou mãe veteranos:

"O tempo passa muito rápido. Quando você menos espera, os filhos estão crescidos, indo para a faculdade". Mas você desconsiderou ou minimizou comentários desse tipo. Nós também fizemos isso.

Há duas categorias de pais e mães: os que pensam no ingresso do filho na faculdade, que vai acontecer muitos anos mais tarde, e querem aproveitar todo o tempo que têm em família; e os que pensam que a faculdade é algo tão distante no tempo que não há motivo para se preocupar com essa coisa de perder oportunidades.

Em 2002, quando nossa filha mais velha estreou seu berço, não passou por nossa cabeça que o tempo que conviveríamos com ela em casa era limitado. No ano seguinte, quando começamos a poupar para a faculdade dela, o corretor de investimentos chamou nossa atenção para isso.

Eu pensei: "Temos muitos anos pela frente".

Quando ela estava na pré-adolescência, também não demos a mínima. Adolescência? Nem sinal. A faculdade ainda parecia a anos-luz de onde estávamos.

Então, num piscar de olhos, faltavam só dois anos para o vestibular.

É natural que os pais não pensem em termos de prazos tão longos. Foi o que aconteceu conosco em relação à nossa filha, que chegou até nós quando tinha 3 anos. Mas, um dia desses, graças às lembranças do Facebook, uma imagem saltou diante de nós: nossas duas garotas, vestidas como princesas, prontas para dançar com o pai. Isso foi há oito anos; na minha cabeça, porém, tinha sido ano passado.

Pois é. Rápido assim. Agora, as duas estão no ensino médio, e eu estou no último *quarter*, atento ao relógio. Tenho consciência de que todo minuto conta. Não posso voltar no tempo e sair cedo do trabalho para participar de um chá no quarto da minha filha, cercado por bichos de pelúcia e bonecas. Não posso rebobinar o calendário, pegar minha luva de beisebol e passar a tarde jogando bola com meu filho no quintal.

Felizmente, de fato fiz todas essas coisas com meus filhos; portanto, não carrego muito arrependimento. Mas rememorar esses instantes traz a noção da rapidez com que o tempo passa.

Se o tempo voa, e se a quantidade de tempo de que dispomos para estar com nossos filhos é limitada, que fazer? Vou sugerir que você mude de perspectiva e pense a partir do momento em que seus filhos nasceram ou foram adotados. É fundamental que você mantenha essa perspectiva à medida que as crianças crescem, chegam à pré-adolescência e, então, à adolescência. Compreender essa mudança de ponto de vista é tão importante quanto compreender a Grande Guinada de influência que descrevi anteriormente. Isso opera como um divisor de águas no relacionamento com seus filhos.

Quantidade de tempo de qualidade

Um de nossos filhos ama (ama mesmo!) ir ao mercado conosco. Quando percebe que estamos prestes a sair para comprar alguma coisa, ainda que seja só uma caixa de leite, ele corre para fora de casa querendo se juntar a nós. É um garoto bem prestativo e também uma ótima companhia.

Levei algum tempo para notar quanto ele apreciava nos acompanhar nessas ocasiões. Eu não me opunha a que viesse conosco, só não me dava conta de quão significativos são esses momentos com ele. Na época em que trabalhei numa igreja em período integral, eu ficava de oito a dez horas fora de casa. Perdi muita coisa do cotidiano de meus filhos: a caminhada no parque, o treino de futebol, o preparo do jantar em família, as brincadeiras no quintal, o relato de como tinha sido o dia na escola. Quando enfim chegava, às vezes mental e emocionalmente esgotado, eu me parecia mais com um zumbi do que com um pai interessado nos filhos. Detestava ter de passar por aquilo, e detestaria se fosse hoje também. Na última temporada que passei trabalhando fora de casa, cerca de cinco anos atrás, eu era mais ocupado e me sentia mais esgotado do que nos treze anos anteriores de ministério. A igreja em que eu trabalhava estava afundando, e eram muitos os problemas entre a liderança e também com a congregação. Por questões financeiras, as equipes vinham sendo reduzidas. Furiosas, as pessoas esmurravam nossa porta, tanto literal como figurativamente, querendo saber por que um colaborador querido fora dispensado de repente. A liderança tomava decisões razoáveis a portas fechadas, mas as comunicava de maneira precária. Espaços inteiros do prédio foram desocupados com o objetivo de enxugar o orçamento. Reuniões intermináveis me deixavam física e mentalmente exausto. Não dava para continuar.

Em janeiro, comecei a olhar com frequência para meu calendário e a imaginar como seria a semana de férias, em abril — colocar tudo na *van* com capacidade para doze passageiros, dirigir até a Flórida, deixar todo aquele caos para trás. Talvez nos estendêssemos por mais uma semana, caso a diversão ficasse boa demais para ser interrompida e dar lugar à vida real. Naquelas noites de inverno, ao som das batidas na porta, eu olhava de relance para o calendário e pensava: "Vou sacrificar o tempo com minha família agora e trabalhar como louco. Então, em abril, quando estivermos na Flórida, vou ter tempo de qualidade com minha esposa e meus filhos. Só mais três meses, e a recompensa será maravilhosa". Foi o que fiz. Trabalhei, trabalhei e trabalhei.

Mas tinha um problema com esse meu plano. Eu tinha mergulhado no trabalho havia tanto tempo, sacrificando oportunidades com a família, que foi difícil me desligar da igreja durante as férias. Para falar a verdade, quando estávamos prestes a pegar a estrada, Kristin e uma de nossas filhas tiveram de me advertir que desligasse o telefone. Ai! E, chegando à casa onde ficaríamos hospedados, a impressão que tive foi a de que não conhecia aquelas pessoas, embora vivêssemos sob o mesmo teto.

Note bem, eu havia passado meses mergulhado no serviço — horas, dias, semanas a fio — com o objetivo de ter tempo de qualidade na Flórida, mas também fiquei longe dos meus filhos durante todo o período em que trabalhei. Havia sacrificado momentos simples, aparentemente desimportantes, nos quais poderia ter curtido meus filhos. Sentar perto da minha filha enquanto ela resolvia seus exercícios de matemática. Assistir a um filme à noite, depois do dever de casa e do banho. Ir aos correios buscar uma correspondência.

Eu estava equivocado quanto ao real sentido de "tempo de qualidade". É ótimo ter férias formidáveis, mas falhei em reconhecer quão significativas são as atividades corriqueiras. Elas são tempo de qualidade e têm seu valor.

Joiner e Nieuwhof destacam: "O que sua família precisa não é de quantidade ou qualidade de tempo, mas de quantidade de tempo de qualidade".[1] Entre uma temporada de férias e outra, quanto tempo deixamos de passar com nossos filhos? E, nas próximas férias, ainda saberemos quem são eles?

Lembre-se: quantidade de tempo de qualidade é o que importa — aqueles vários instantes despretensiosos na companhia de seus filhos, ouvindo o que há no coração de cada um e reconhecendo-os como parceiros de humanidade. No fim da vida, quero olhar em retrospectiva e ser capaz de dizer que sei quem são meus filhos porque dei atenção a eles nos pequenos momentos.

Você pode estar pensando: "E quanto ao meu adolescente, que parece não querer fazer nada comigo, muito menos conversar ou ouvir o que tenho a dizer?". Ouço essa pergunta toda vez que falo ou escrevo sobre otimizar o tempo com os filhos, pois esse é um grande dilema que muitos pais e mães têm de enfrentar. Mas a resposta é simples: envolva seu filho com fita isolante, coloque-o no carro, obrigue-o a dar algumas voltas com você e diga: "Só vai voltar para casa depois de passar algum tempo comigo".

Estou brincando, é claro. Você e eu sabemos que isso não funciona (e pode até ser ilegal).

Aqui está a verdadeira resposta: você tem de readequar suas expectativas e repensar a relação com seu adolescente, pelo menos por um período.

Como otimizar o tempo com seu filho adolescente

Kristin e eu entendemos sua situação. Sabemos quão difícil pode ser essa fase, pois estamos no mesmo barco que você. Também estamos tentando compreender as oscilações de humor, as reviradas de olhos e as emoções exacerbadas de nossos filhos, e seguimos em busca de manter uma relação normal com eles.

Uma de nossas filhas adorava nos acompanhar aonde quer que fôssemos; na época em que ela estava com 4 anos, por exemplo, achávamos que seria assim para sempre. Hoje, aos 15, ela tem suas próprias opiniões sobre política, crenças, tendências de moda, postagens da Taylor Swift no Instagram, as piadinhas ridículas de seu professor de matemática, e a possibilidade de se casar um dia. Em resumo: ela está se tornando uma jovem adulta. Já não brinca com bonecas, não promove chás da tarde tendo bichos de pelúcia como convidados, nem desfila pela sala trajando vestidos de princesas da Disney. Meu coração de pai pede por dias como aqueles, mas eles estão confinados no passado, vivos apenas em minha memória. Essa nossa filha é esperta e tem pensamentos próprios e condizentes com sua idade, e já não precisa de mim nem da mãe tanto quanto antes. Isso é previsível e natural.

Então, como aproveitar ao máximo o tempo que você passa com seu filho adolescente?

1. *Ajuste suas expectativas.* A verdade é que seu filho não é mais uma criança. Não espere que alguém de 15 ou 16 anos se relacione com você da mesma maneira que uma pessoa de 6 ou 7. As interações vão mudando naturalmente. Kristin e eu já não esperamos que um de nossos adolescentes vá, por livre e espontânea vontade, nos acompanhar em um passeio. Mas ainda temos a expectativa de que se envolvam em determinados eventos familiares, e fazemos questão de que todos estejam juntos em festas de aniversário e feriados prolongados. Mas entendemos que nossa filha prefira assistir a um episódio de sua série predileta a unir-se a nós num passeio no qual não tenha o menor interesse. Ajuste as expectativas.
2. *Encare as reações dele sob a perspectiva certa.* Quando um filho se recusa a fazer algo conosco, tendemos a nos sentir rejeitados, sobretudo se antes ele ficava grudado em nós. Depois de anos de proximidade, é difícil experimentar a Grande Guinada, e reações incomuns podem facilmente ser levadas para o lado pessoal. Demorou para que eu

percebesse que minha filha não estava rejeitando a mim, mas apenas se recusando a fazer algo pelo que não se interessava. Simples assim. Da mesma forma, meu filho não está descartando minha companhia; ele só não curte visitar lojas que não vendam Hot Wheels. Todos nós amamos nossos filhos, e nosso coração mole pode se melindrar por uma resposta que de pessoal não tem nada. Leve em conta o que é particular de cada idade e considere que os interesses e as prioridades de seu filho mudam.

3. *Interaja no nível dele.* Isso *não* quer dizer que você deva incorporar o elfo Buddy. Significa que deve entrar no mundo de seu filho intencionalmente e ouvir o que há no coração dele, ainda que não entenda por completo o que ele pensa ou o vocabulário que usa. Minha filha, como milhões de outras garotas, segue no YouTube e no Instagram uma sensação da internet chamada Jake Paul. Em termos gerais, ela é uma biblioteca ambulante sobre esse moço, o que não é meu caso. Porém, agora que a levo para a escola, já sei um pouco mais, pois ela me conta todas as proezas dele. Ela põe alguns áudios para eu ouvir durante nosso trajeto de dez minutos, e nós rimos juntos. Às vezes, faço perguntas; outras vezes, só escuto e respondo às reações dela. Nunca serei fã de Jake Paul, mas sou fã da minha filha e aprecio segui-la. Gosto de saber tudo o que ela sente e pensa, então fico ligado quando ela fala sobre Jake ou qualquer outra coisa. É um privilégio para mim ser convidado a entrar no mundo dela, e aproveito toda chance que tenho de cultivar esse tipo de relação. Sempre que você tiver oportunidades assim com seu filho, aproveite-as.

4. *Desfrute dos pequenos instantes.* Dispomos de tantos momentos corriqueiros com os nossos filhos. Quem dera fôssemos

mais atentos e reconhecêssemos o que está bem diante de nossos olhos... Digo isso a mim mesmo e a você. Talvez você tenha presumido que seu adolescente não quer nada além de evitar sua companhia. Mas talvez ele deseje estar com você mais do que você imagina. Não se apresse em tirar conclusões; certifique-se delas. Sim, você deve promover e otimizar as ocasiões especiais em que seu filho está por perto, mas trivialidades também causam grandes impactos. É bem provável que, quando adulto, seu filho se lembre dos momentos mais simples tanto quanto dos eventos mais impressionantes. Outro dia, uma de nossas filhas adolescentes apareceu do nada e pediu para dormir em nossa cama. Pode acreditar: nós curtimos muito!

5. *Mantenha suas emoções sob controle.* Quando tiver a impressão de que seu filho começou a operar em uma frequência muito diferente, não reaja de forma exagerada ou hostil. Até as situações pouco agradáveis são oportunidades de mostrar amor a esse filho e celebrar quem ele é e quem está se tornando. Responda com gentileza, calma e docilidade. Preste atenção no tom de voz e nas palavras que você usa. Acumule créditos no banco emocional de seu filho — você vai precisar deles mais tarde.

Se você nunca tentar, nunca vai saber

Retomo agora o tema das conclusões precipitadas. Quando minha filha adolescente não acorda me chamando de "Papai", quando o rosto dela não cintila com aquela adorável aparência que diz "Claro que vou!", sou rápido em levar as mãos à cabeça e deduzir que ela perdeu todo o interesse que tinha em mim. Mas há muitas outras formas de interpretar o comportamento dessa jovem em fase tão complicada — uma moça cheia de opiniões, sentimentos, crenças e teimosias. Lamentavelmente, diante das mudanças de humor de nossos filhos, muitos de nós achamos que eles nos odeiam. Talvez só estejam aprisionados naquele redemoinho pelo qual todo humano passa, entre a infância e a vida adulta, tentando descobrir como levar a vida. Entretanto, em minha insegurança, acho que tudo tem a ver comigo. Devo lembrar que já fui o catarrento temperamental que fez meus pais terem a certeza de que eram odiados. Você também já fez isso com seu pai e sua mãe. Nossos filhos podem tão somente ter enfrentado um dia ruim. Mas, se continuarmos presumindo que a relação com eles nunca vai melhorar, adivinhe só... não vai mesmo!

Lembre-se de que seu filho está tentando se reconhecer num mundo confuso, desordenado. Continue mirando-o por entre as variações de humor, a despeito do que você esteja tentado a pensar. Pode ser que, quando menos esperar, você experimente uma realidade diferente da que tem vivido. Convide-o a passar algum tempo com você, seja de um jeito conhecido, seja de um modo nada usual. E, quando ele topar, surpreenda-o com uma pausa na padaria ou na sorveteria. É possível que ele recuse seu convite, mas você nunca vai saber (ou conseguir) se não tentar.

Algumas semanas atrás, eu estava me preparando para uma viagem de dez dias e me aprontando para diversas palestras. Mergulhei no planejamento e na preparação das minhas falas, levantando de madrugada e voltando para casa quando meus filhos já estavam dormindo. Sim, eu os vi durante aqueles dias, mas foi por pouquíssimas vezes. Certa tarde em que eu pretendia ir até a gráfica para providenciar centenas de livretos e crachás, uma das minhas filhas adolescentes chegou da escola, e então conversamos um pouco. Espontaneamente, eu a convidei para ir comigo à gráfica. Estava certo de que ela se recusaria depois de ter passado tanto tempo na escola; para minha surpresa, porém, ela aceitou. Confesso que fui pego desprevenido, mas juntei depressa tudo de que precisava e saímos.

Sem interesse em entrar na gráfica, minha filha ficou no carro ouvindo música e mandando mensagens para os amigos. Contudo, tanto na ida quanto na volta, conversamos muito. Não falamos sobre nada muito importante, mas aquela hora que tivemos juntos foi mais do que significativa para nós.

Quantidade de tempo de qualidade. Priorizar a família, sobretudo naqueles momentos mais simples. Isso faz toda diferença no relacionamento com seus filhos — e pode conquistar o coração deles.

Distrações

Enquanto digito essas palavras, há um inimigo à espreita, um adversário que se alimenta de meu tempo. Ele aguarda para dar o bote, ávido para me interromper e tirar minha atenção do que mais importa. É comumente conhecido como *distração* e galopa sobre nossa sociedade, montado na tecnologia da internet e dos *smartphones*. Ele vive ansioso para me arrastar para o lado obscuro, onde desperdiço atenção e afeto em redes sociais, mensagens de texto, *e-mails*, noticiários, vídeos do YouTube e previsões do tempo.

Esse inimigo persegue você também, sempre rodeando, esperando para atacar. Pode tomar a forma de um telefone celular, um *notebook*, um *tablet* ou uma TV. Ou, quem sabe, uma revista sobre esportes, um caderno de jornal. Ele quer desestabilizar tudo que há de bom em sua casa, especialmente a atenção que você dedica aos filhos. Podemos até achar que disfarçamos bem toda vez que cedemos, mas filhos não se deixam enganar: sabem quando não são alvo de nossa atenção e, pior, quando lhes damos atenção parcial.

Fazemos parte da geração mais distraída que já existiu em toda a história humana. Nunca antes houve tanto acesso a tecnologia, as informações nunca foram tão rapidamente atualizadas e os diversos conteúdos, obtidos de maneira tão veloz. Não podemos mais alegar ignorância, pois as informações berram diante de nós, vindas dos inúmeros dispositivos que há em nossa casa e em qualquer outro lugar. De acordo com o portal alemão Statista, estima-se que existam hoje cerca de três bilhões de usuários de redes sociais.[2] De janeiro de 2013 a setembro de 2017, o número de usuários do Instagram cresceu de 90 milhões para 800 milhões.[3] Em menos de cinco anos! Em julho de 2018, o Facebook tinha 2,2 bilhões de usuários e o YouTube, 1,9 bilhão.[4] Isso significa que há uma multidão de pessoas usando algum tipo de rede social.

As redes sociais são úteis, mas podem ser uma grande causa de distração, não apenas roubando de nós tempo de atenção a nossos filhos, como também tornando o tempo restante em momentos pouco significativos. Uma reportagem em vídeo divulgada em 2012 pelo *Wall Street Journal* revelou a relação durante os anos de 2007 a 2010 entre o aumento no uso de *smartphones* e o crescimento do número de acidentes com crianças em parquinhos e creches.[5] Em outras palavras, o uso de telefone — para os mais diversos fins — priva os cuidadores de prestar a devida atenção às crianças. Fico me perguntando como seria avaliada a relação entre os estados emocionais infantis e o uso de dispositivos eletrônicos e redes sociais por pais e mães, seja em casa ou em qualquer outro lugar onde deveriam cuidar dos filhos. Como o coração de nossos filhos vem sofrendo por causa dessas nossas distrações? Eu tenho culpa no cartório. Minha família já me advertiu quanto a isso, e também já me perdoou.

Acredito, sim, que *e-mails*, mensagens de texto, redes sociais e a internet em geral são úteis e importantes. Então, como podemos fazer uso desses recursos relevantes para nós e, ao mesmo tempo, garantir que nossa família não tenha nenhuma dúvida de que está no topo de nossa lista de prioridades? Três coisas me vêm à mente.

Limites

Devemos dizer mais "nãos" do que "sins" ao uso de redes sociais. Além de ser precioso, nosso tempo voa, e precisamos estabelecer regras firmes quanto a trabalho, *hobbies* e outros interesses, a fim de dedicar tempo adequado e plena atenção à família. Limites são essenciais em muitos aspectos da vida, e a ausência deles resulta em caos. Deixe-me ser bem objetivo: *Quando estiver com seus filhos, deixe o telefone de lado e afaste-se de e-mails, redes sociais e consultas à internet*. Simples desse jeito. E, sim, eu sei que é difícil.

Organize seu dia de maneira intencional. Especifique um tempo para ficar *on-line* checando o Facebook, o Instagram e o Twitter, e também para ver vídeos no YouTube. Hoje, muitos de nós precisamos dessas plataformas para trabalhar. Mas é necessário fixar limites. Então, aja intencionalmente. Feito isso, pare tudo e passe um tempo em família, livre de distrações, para que seus filhos saibam que você está sintonizado com eles.

Prioridades

Nossas prioridades refletem o que consideramos mais importante, aquilo que nosso coração julga ser mais valioso nesta vida. Jesus disse: "Onde seu tesouro estiver, ali também estará seu coração" (Mt 6.21). Muitos de nós recordamos essa antiga verdade, daqueles tempos de infância na escola dominical, e é algo que volta com a corda toda — sob a forma de prioridades ou coisas que valorizamos — quando nos tornamos pais ou mães.

Uma das formas pelas quais mostro à minha família que ela é prioridade para mim é sendo pontual nos eventos. Atrasos, sobretudo quando são frequentes, comunicam à minha esposa e aos meus filhos que priorizo outra coisa em vez deles.

Todos precisamos olhar seriamente para nossas prioridades e reordená-las quando necessário. Precisamos parar de nos dar permissão para colocar outras coisas acima de nossa família. Pode ser difícil fazer isso, mas é crucial se queremos conquistar o coração de nossos filhos e cônjuge. Devemos escolher, de forma consciente e intencional, fazer de nossos filhos nossa prioridade máxima. Tenho histórico de má administração do tempo, e isso inclui minha vida doméstica. Desperdiço tempo em coisas irrelevantes, e é comum restarem poucos momentos (ou mesmo nenhum) para me focar nos meus filhos. Kristin sabe bem como me desafiar nesse sentido. Às vezes, preciso de um período para digerir os argumentos dela, mas eles sempre se mostram benéficos e me ajudam a evoluir.

Escuta

A recomendação para que escutemos os outros pode parecer elementar e bastante óbvia, mas a nossa geração encara a escuta ativa como algo temível. Acredite: refiro-me a mim tanto quanto a você. Às vezes, penso que estou escutando quando de fato não estou. Sou mestre na arte de acenar afirmativamente com a cabeça enquanto levo os olhos ao telefone ou à TV. Capturo palavras-chave na fala de alguém e, então, busco elaborar um comentário sobre elas. Mas isso não engana ninguém.

Venho aprendendo diariamente como escutar melhor, em especial quando deixo o telefone de lado. Esta manhã mesmo, uma de minhas filhas quis me contar sobre o filme a que assistiria com as amigas. Felizmente, meu telefone estava em outro cômodo; assim, mirei os olhos dela, tomei consciência de que ela falava comigo e me envolvi na conversa fazendo perguntas e comentários genuínos. Quando ela foi para a escola, refleti sobre aquele momento: durou no máximo cinco minutos, mas foi muito bom me conectar com minha filha e escutar ativamente o que ela sente e pensa. Quanto mais me envolvo desse jeito, maiores as chances de ela desejar partilhar a vida assim. Que conquista!

PAUSA PARA REFLEXÃO

1. A que você dedica a maior parte do seu tempo? Seja honesto.
2. Como você tem aproveitado aquelas pequenas porções de tempo que passa com seus filhos e que, no fim das contas, se mostram valiosas? De que outras formas pode tirar proveito delas?
3. Quais são os grandes ladrões de tempo que o impedem de estar com seus filhos? Como pode vencer esses ladrões?
4. Como você pode estabelecer limites e prioridades em sua agenda de forma a reservar tempo para dedicar-se plenamente à sua família?

9

De corpo e alma

*Dica 5: Mantenha-se comprometido
com seus filhos*

Era um daqueles dias quentes em Indiana, quando as pessoas celebram por saber que o verão finalmente chegou. Mesmo depois de quinze anos, lembro-me bem da formatura do bacharelado, pois o palestrante e sua esposa foram descritos assim pelo mestre de cerimônia: "pais dedicados e comprometidos, ativamente engajados na vida dos filhos".

Dedicados e comprometidos. Essas palavras ecoaram em meus ouvidos de jovem pai. "Quero ser esse tipo de pai", pensei. "Quero que as pessoas se refiram a mim desse jeito." Naquela época, Kristin e eu tínhamos apenas uma filha, de 1 ano, e na ocasião minha mente se fixou em nossa garotinha. Como desejei desesperadamente que ela soubesse quanto eu a amava e quanto estava disposto a me comprometer com a vida dela!

Dedicados e comprometidos. Há quinze anos venho sendo impulsionado por essas palavras. Elas se tornaram um mantra silencioso que abrigo nos recônditos do coração e da mente enquanto me esforço para conviver bem com meus filhos, para conhecê-los e mostrar-me interessado neles à medida que evoluem para a vida adulta. Não quero olhar para trás e dizer que desperdicei momentos junto deles por ter me deixado consumir pelo trabalho ou distrair com algo banal exibido no Facebook ou no Instagram.

Comprometimento é um aspecto essencial da criação de filhos. Eu poderia escrever um livro inteiro apenas sobre esse assunto, pois acredito que ele engloba todos os outros fatores relacionados à influência que exercemos como pais e mães.

Por que o compromisso com seu filho é o caminho para conquistar o coração dele

Em primeiro lugar, o comprometimento é o portal de acesso à compreensão do outro e à relação com essa pessoa — isto é, dá a você a oportunidade de conhecer seu filho. Não se pode conhecer alguém com quem não se está envolvido. Estar inteiramente presente na vida de seu filho permite que você identifique detalhes bem sutis sobre quem ele é — gostos, aversões, sonhos, medos, dilemas e interesses. Assim, você aprende quais são suas crenças, amizades, paixões, programas de TV prediletos, o que pretende estudar na faculdade, como pretende evoluir na profissão, quem é seu músico ou *youtuber* favorito e por que essa pessoa é "tããão fofa", qual é o assunto da vez nas redes sociais, quem são os professores mais irritantes (e por quê), o que ele pensa sobre Deus. Você descobre qual é a opinião dele sobre questões sociais, como igualdade de gênero e casamento de pessoas do mesmo sexo, que livro está lendo, qual aplicativo de celular tem gostado de usar, e assim por diante.

É possível que você esteja se contorcendo ao ler essa lista, mas isso é apenas um retrato instantâneo do mundo adolescente. São essas coisas que movem a vida de seu filho. Goste você ou não, ele vive sob uma cultura que o atinge em alta velocidade por meio da mídia de massa, da tecnologia que se transforma quase que diariamente e da imensa pressão para se enquadrar numa sociedade que muda as regras o tempo todo. Você pode negar essa realidade, impondo-lhe resistência. Ou pode se lançar nela e aprender sobre a cultura adolescente — e, por tabela, aprender sobre seu filho. Isso lhe dará passe livre para influenciá-lo. Lembre-se: o tempo é precioso e passa rápido.

Em segundo lugar, o comprometimento dá a você a chance de lançar sementes valiosas para a relação com seu filho. Quanto mais oportunidades você aproveitar, mais fundo as raízes relacionais se espalharão no coração dele. Encare o relacionamento com seu filho como um agricultor que cuida e trata de suas plantações, confiando pacientemente que o vagaroso processo de crescimento acontece acima e abaixo da superfície da terra, ainda que a mudança seja imperceptível. Chegará o dia em que você vai lidar com seu filho como lida com um adulto. Esse relacionamento futuro pode ser rico e fascinante se, hoje, você assumir o compromisso de envolver-se de verdade com a vida desse filho.

O que caracteriza um bom comprometimento?

O que significa, em termos cotidianos, comprometer-se ativamente com a vida de um filho? Aí vão algumas ideias práticas.

Criar tempo para a escuta

A escuta é o maior indicador de comprometimento ativo. Só conhecemos um bom amigo se o escutamos. Só aprendemos a fazer alguma coisa se ouvimos as devidas instruções. Só entendemos um filho se nos atentamos para o que ele tem a dizer. Isso requer que criemos tempo para tal. E você pode fazer isso de diversas maneiras. Por exemplo, em minha família, insistimos em fazer as refeições juntos à mesa várias vezes na semana, sem celulares ou qualquer outra distração que possa atrapalhar conversas francas. Damos a cada um a chance de partilhar alguma coisa. E, na hora de dormir, sentamos na cama de cada filho para ouvir um relato sobre seu dia. Não há fórmula mágica. Observe seu dia e planeje esse tempo. E esteja pronto para abandonar o que estiver fazendo quando seu filho quiser conversar.

Deixar de lado dispositivos que roubam a atenção

Desligue ou silencie seu telefone, feche a página no Facebook e mantenha o rádio desligado ao dedicar atenção ao seu adolescente. Não é possível dialogar com ele enquanto conversa com outra pessoa ou vê as novidades no Instagram. Essas coisas podem esperar. Agora seu filho está aí, precisando de toda a sua atenção, e o tempo que você tem com ele passa muito rápido. Não permita que atividades irrelevantes preencham seu tempo. Deixe *seu filho* fazer isso.

Marcar um encontro com seu adolescente

Isso mesmo, marque um encontro! Arranje tempo para sair com seu filho ou sua filha. Então, saiam para um café, um jantar especial, do tipo mamãe-e-eu ou papai-e-eu, ou mesmo para fazer compras. Já me referi à importância de otimizar os pequenos instantes, como dar uma volta juntos; mas encontrar-se intencionalmente com seu filho é algo diferente, pois você estará mais focado em dedicar-lhe atenção e aprender sobre ele. Ainda que você ache que seu filho não queira esse tipo de encontro, tente. Você pode se surpreender, sobretudo se pegá-lo desprevenido. Uma das publicações de que mais gostei no Instagram é da autora e blogueira Jen Hatmaker. Trata-se de uma foto que Jen tirou de seu próprio filho, que já cursa a faculdade, e publicou com a seguinte legenda: "Deixe-me tomar café com esse meu bebê, no meu lugar predileto, e tudo estará bem. Teremos seis dias juntos. Vou providenciar o que ele quiser comer, dar-lhe algum dinheiro e falar mal dos professores que ele detesta. Ele é incapaz de fazer qualquer coisa errada nesta semana, e ninguém me convencerá do contrário".[1] Ao ler isso, imediatamente pensei: "Isso sim é estabelecer um compromisso com a vida de um filho!".

Não se esquecer dos pequenos investimentos

Faça grandes e pequenos agrados ao seu filho, coisas pelas quais ele saiba que é importante para você. Quando decidimos abandonar as limitações do subúrbio de uma grande cidade e mudar para uma área rural em Indiana — onde poderíamos iluminar as coisas com fogo, fazer tanto barulho quanto quiséssemos e deixar que as crianças pequenas perambulassem pelo quintal vestindo apenas roupas de baixo —, escolhemos uma casa próxima do município em que morávamos e no qual viviam os amigos de nossas filhas. Prometemos a elas: "Levaremos vocês até a casa de seus amigos, e, se eles precisarem de carona para visitá-las, nós os buscaremos com o maior prazer". Presumimos que os outros pais e mães fariam o mesmo, mas estávamos errados. Ficamos chocados ao notar que eles evitavam se comprometer com os filhos quanto a coisas tão simples. Muitos se recusam a buscar seus filhos em nossa casa, que fica a apenas dois ou três quilômetros de distância; outros vão dormir antes que os filhos cheguem em segurança. Não estou julgando ninguém, mas isso não faz sentido para mim. Creio que cuidar desse tipo de coisa, como parte do compromisso com nossos filhos, é fazer investimentos que, embora pequenos, são muito significativos.

Incentivar a transparência com o mínimo de repreensão

Há tempo para corrigir os filhos por suas más escolhas. Eles precisam de limites e consequências por seus atos, como já discutimos. Mas, para o bem do relacionamento, às vezes é necessário escutar ativamente e mostrar-se disponível, sem pular de imediato para a repreensão. Deixe seus filhos partilharem o que os motiva. Deixe-os dizer qual professor abominam, que aquele garoto popular na escola é na verdade um bobão, que alguém foi zoado por publicar alguma coisa esquisita em uma rede social. Deixe-os expor o que pensam sobre política. Filhos, em especial os adolescentes, precisam se sentir seguros na companhia dos pais. O papel de disciplinador, que compete a você, não inclui impedir seus filhos de contarem com uma válvula de escape. Kristin e eu permitimos que nossos adolescentes partilhem conosco suas frustrações e receios, e celebro quando eles fazem isso. Vez ou outra, precisamos lembrá-los de tomar cuidado com o linguajar ou a postura, mas nunca reprimimos a transparência em relação ao que sentem, e isso cria um ambiente no qual eles se sentem seguros para falar abertamente. Minha mãe não era perfeita, mas essa era uma coisa que ela fazia muito bem. Minha irmã e eu sempre pudemos dividir com ela o que sentíamos, sem medo de julgamentos, o que forjou em nós um senso de confiança e honestidade que perdura até hoje — a ponto de eu ter criado um *blog* chamado *Confessions of an Adoptive Parent* [Confissões de um pai adotivo].

E quanto aos "pequenos"?

Se seus filhos são crianças e você ainda está no início da jornada da parentalidade, mas já pensa na rota que tem pela frente, isso é ótimo! Muitos pais e mães não fazem isso, e em geral são esses que acabam me procurando em busca de ajuda. Este capítulo também se aplica à sua fase parental, pois o comprometimento deve começar bem cedo, desde a primeira infância.

Seus filhinhos estão ouvindo e vendo você e são capazes de entender o que se passa. Eles estão escutando e querem que *você* os escute!

Atente-se para o trecho final do parágrafo anterior: *"querem que você os escute"*. Escreva essas palavras em um pedaço de papel e fixe-o em algum lugar que você veja diariamente. Para se comprometer com seus filhos, você deve *escutá-los, qualquer que seja a idade deles*.

Não negligencie a importância de conversar com seus "pequenos" (como uma pessoa de nossa equipe se refere a seu próprio filhinho). Conversas são benéficas, ainda que o assunto seja *Bob Esponja* ou *Dora, a aventureira*. Conheça o ponto de vista de seus filhos. Abandone o telefone celular e desligue o rádio do carro — as crianças sabem quando você está distraído. E faça o impossível para acompanhá-los nos eventos de que participam. Sou grato pelo fato de Kristin e eu termos assumido o compromisso de nos envolver com a vida de nossa filha desde o nascimento. Isso proporcionou muitas conversas sobre a Barbie e sobre os irmãos Zack e Cody, da série *Gêmeos em ação*, abrindo espaço para que nossa filha fosse sincera conosco. Nossa postura pavimentou o caminho para que agora, na adolescência, ela aja com transparência.

Perceba que não apenas *parecemos* interessados; *somos* interessados. Não simulamos comprometimento; *somos* comprometidos. Com frequência, nós, adultos, nos comportamos como bons atores diante de nossos filhos, respondendo com "Aham" ou "Uau! Sério, que maravilha!" quando eles tentam nos contar algo importante. Se você se identifica com esse comportamento, não precisa se condenar. Tendemos a nos deixar consumir por interesses próprios e a dar a nossos filhos respostas prontas. Contudo, precisamos pôr um basta nisso.

Quando dedicamos atenção às crianças desde os primeiros dias, o solo de nosso relacionamento com elas se torna mais fértil a cada ano que passa.

PAUSA PARA REFLEXÃO

1. Avalie sua agenda, suas prioridades e suas áreas de foco. Seja honesto consigo mesmo. Quanto tempo você passa ativamente comprometido com seus filhos?
2. O que você precisa eliminar e que prioridades precisa rever a fim de envolver-se mais com as atividades, os *hobbies* e os interesses de seus filhos?
3. Por que o comprometimento é um fator essencial para que seus filhos cresçam de maneira sadia e positiva?
4. Escreva algumas promessas realistas que você pretende fazer, para você e para seus filhos, com o propósito de envolver-se mais com eles.

10
Prefiro ser a tartaruga

Dica 6: Seja consistente

Caso você nunca tenha ouvido a história da lebre e da tartaruga, seja bem-vindo ao planeta Terra. (Estou brincando!) De todo modo, aqui vai um resumo. A lebre vivia zombando da tartaruga por sua lerdeza. A tartaruga, uma vez decidida a pôr um fim nessa situação, desafiou a lebre para uma corrida. O resultado era óbvio: dê à tartaruga um milhão de chances, e a lebre vencerá um milhão de vezes. Foi dada a largada. A lebre disparou e então resolveu tirar um cochilo no meio do trajeto, confiante de que acordaria a tempo de ganhar a disputa. (Alerta de *spoiler*!) Mas o impossível aconteceu. Ao acordar, a lebre só teve tempo de ver sua adversária vencer a prova.

Como é que pode um resultado desses? Uma palavra basta: *consistência*.

Note que a lebre correu em disparada; então, parou, certa de que sua inconsistência não lhe traria prejuízos. Mas a tartaruga não se deteve, não alterou o ritmo, não se distraiu nem ficou dando voltas na pista. Consistência inabalável foi sua arma secreta. Não há nada de surreal nessa estratégia — e, ainda assim, muita gente a ignora.

Procuro me exercitar em uma academia cinco vezes por semana, por volta das 5 da manhã, antes que meus filhos acordem para ir à escola. Talvez você esteja me achando um maluco, mas amo essa rotina. É meu período favorito do dia:

minha mente está descansada; o dia ainda está escuro, novinho em folha; e as ruas, vazias. Posso pensar, orar, escutar e apenas ser... tudo isso sem interrupções. Uso fones de ouvido que vedam bem o som — presentes de Deus para os introvertidos — e passo um tempo desligado do mundo.

Nem sempre fui consistente assim. Durante a maior parte da vida, eu me debati com a apatia, a preguiça e a falta de autodisciplina. Somente há oito anos é que voltei a ficar em forma e mantive o ritmo. Agora, sigo firme no compromisso com a saúde do coração, a longevidade e o cuidado com esta dádiva exclusivamente minha: meu corpo. Consistência é o segredo.

Então, chega o mês de janeiro. São duas semanas em que fico na fila da academia, esperando para usar meus aparelhos de ginástica favoritos, geralmente atrás de alguém que não faz a menor ideia de como se exercitar neles, e que provavelmente vai desistir logo e nunca mais voltar. Este é o ponto: essas pessoas têm um grande problema, e não se trata de sobrepeso, falta de forma ou desinteresse. Falta-lhes consistência.

Poucos anos atrás, conversei com Harold, um homem na casa dos 50 ou 60 anos. Em um dia de ano-novo, ele decidiu mudar a maneira como lidava com a própria saúde e se matriculou na academia que frequento. Numa manhã de inverno, subi num aparelho de escalada perto dele e me preparei para meus trinta minutos de exercício, como de costume. Ajustei a inclinação e a resistência do aparelho para níveis bem altos e, assim que comecei, ouvi alguém ofegar. Era Harold, com os olhos fitos no painel do meu aparelho.

— Como você consegue com uma resistência dessas? — ele indagou. — Não chego nem perto disso!

— Bem... — respondi. — Venho me exercitando neste aparelho há cinco anos. Foi muito difícil no começo.

Harold pensou por um instante.

— Como alcançou o nível em que está agora?

— Apenas continuei treinando, vez após vez, e aumentando a resistência pouco a pouco.

— Então a consistência foi seu ingrediente secreto?

Eu assenti:

— Acho que sim.

Consegue adivinhar quem foi um dos meus maiores modelos de consistência daquele dia em diante? Harold. Toda manhã, de segunda a sexta-feira, ele chegava e se dedicava com afinco até superar boa parte do pessoal que se exercitava cedo. Quando o restante de nós terminava e se sentava, tentando recuperar o fôlego, ele permanecia firme. Harold não tinha histórico de um condicionamento físico admirável; apenas assumiu um compromisso e se ateve a ele.

A consistência é um agente capaz de produzir resultados como nenhum outro. Pague as parcelas do cartão de crédito com regularidade, e um dia elas estarão quitadas. Regue sua grama sem falhar nem um dia, e ela se tornará verde como nunca. Continue se dedicando ao projeto de uma empresa ou de uma marca, e ele se concretizará. O mesmo vale para a publicação de um livro.

Isso não pode ser mais verdadeiro do que na criação de filhos. Se os amarmos consistentemente, eles se sentirão apreciados e se tornarão seres humanos mais seguros de si. Se formos consistentes na fixação de regras e na aplicação de disciplina apropriada, na maioria dos casos as crianças compreenderão o que é certo e o que é errado, além de reconhecer a importância de estabelecer limites. Se você passar tempo com seus filhos regularmente, isso fará que eles se sintam valorizados e forjará relacionamentos sólidos.

Teste de consistência

Como pai ou mãe, faça a si mesmo as seguintes perguntas:

1. *Demonstro amor por meus filhos constantemente?* Claro que você ama seus filhos, e isso não vai mudar. Mas você *demonstra* esse amor de maneira que eles o percebam? Como se pode expressar amor? "Dedicando tempo" é uma das melhores respostas. Já falamos disso, mas agora considere aqueles momentos preciosos (breves ou longos) sob o contexto da consistência. Siga aproveitando tais instantes sem deixar que haja intervalos muito grandes entre eles. E aí vai outra forma de demonstrar amor. Uma de minhas filhas precisava nos contar que estava grávida, sem ter onde morar, sem emprego e que o bebê era fruto da relação com um rapaz que ela conhecia havia pouco tempo. Kristin e eu poderíamos tê-la expulsado de casa, mandando que desse um jeito no próprio caos, mas não fizemos isso. Temos recebido amor a despeito das confusões em que nos metemos, e essa postura misericordiosa costuma atrair enormes benefícios — ainda que isso só ocorra no fim das contas. Às vezes, amar consistentemente significa amar, amar e amar e só receber a recompensa muito tempo depois.
2. *Busco regularmente agir como observador antes de me portar como inspetor?* Acaso você anda tão ocupado na tentativa de repreender seus filhos a ponto de se distanciar do coração deles? Está tão preocupado em ser correto que perdeu de vista a graça da humanidade de seus filhos e a beleza de quem eles estão se tornando? Com frequência, escolhemos batalhar por causas que não valem a pena. Recentemente, minha filha de 16 anos queria um pedaço de cartolina para

registrar nele algumas metas. Argumentei que ela poderia usar fichas pautadas, tanto pela economia de papel quanto pela vantagem de escrever sobre linhas. Ficamos naquele impasse até que me dei conta: ela queria fazer algo louvável, agir com responsabilidade, isto é, escrever uma lista de tarefas. Eu estava desconsiderando a maturidade dela por causa de um pedaço de papel. Tenho aprendido a observar em vez de apenas ensinar.

3. *Sou consistente quanto aos limites que estabeleço para meus filhos?* Aprendi isso da forma mais difícil. Filhos são pessoas espertas e, mesmo que tenham 4 ou 5 anos, detectam inconsistências com muita rapidez. Sou injusto — comigo e com eles — quando defino uma regra e acabo cedendo, deixando de reforçá-la de maneira consistente. A eficiência de um limite está em sua firmeza, a menos que tenha sido mal estabelecido. Se o horário de chegar em casa é 22 horas, é 22 horas. Não há necessidade de sermões nem de brigas. Comunique e saia de perto. Filhos são espertos o bastante para entender o que dizemos. E tenha em mente que limites coerentes e reforçados com regularidade os ajudam a se sentir seguros e amados. Quando eles testam esses limites, de modo consciente ou não, na verdade esperam que os puxemos de volta, pois precisam se apoiar na estabilidade de nossa consistência. Toda vez que você se mantém firme e calmamente diz "não", lança uma nova gota de amor no oceano do coração de seus filhos.

4. *Sou consistente no que se refere a deixar que meus filhos arquem com as consequências de seus atos?* Por vezes, o amor é enérgico, rígido quanto ao que é correto, intransigente quanto à verdade. O amor duro pode nos exaurir quando, para o bem de nossos filhos, temos de fazer algo que parece

insensível, mas que eles precisam vivenciar. Quando seu filho quebrar uma regra estabelecida por você, fique atento à sua própria reação. Em vez de passar um sermão e causar constrangimento, deixe que uma consequência difícil ensine ao seu filho o que ele precisa aprender. Não hesite: retenha o celular dele pelas duas semanas previstas; retire a mesada ou os benefícios de seu filho e deixe que ele pague por seus atos. Ele vai sobreviver! E, com toda a certeza, vai aprender e se desenvolver. Quando a consequência de um deslize é negociável, seu filho não leva você a sério.

"Desperte, você que dorme"
Lembra-se da lebre? Ela começou com todo o pique, deixando para trás uma nuvem de poeira, enquanto a tartaruga arrastava seu casco. A lebre estava absolutamente convencida de que não precisaria de muito esforço para vencer a adversária. Na verdade, estava tão confiante que decidiu tirar um cochilo.

E perdeu.

Por que o inexplicável acontece? Porque dormimos.

Deixe-me esclarecer. Em vez de correr com persistência e consistência, mantendo-se focada, comprometida com o que deveria priorizar, a lebre cochilou.

Ora, não me leve a mal; cochilos não são ruins. Eu os aprecio muito. Kristin e eu acreditamos que Deus os enviou à terra diretamente aos pais (assim como fez com o vinho, mas isso é outra história). Para a lebre, porém, cochilar foi um ato irresponsável e prejudicial. Por ter sido descuidada, ela perdeu a disputa.

Quantas vezes o "sono" tira nosso foco daquilo que há de mais importante na vida? Não estou falando do sono literal, mas da letargia figurada — agir sem consistência, afrouxar a vigilância, fechar os olhos para a realidade e mostrar desatenção quando o que importa fazer é comprometer-se com os filhos. Ausência quando há necessidade de presença. Falta de foco quando é preciso fincar os pés no chão. Estagnação quando se deve seguir em frente, garantindo o futuro da família.

Não é difícil cometer esses deslizes, e no mundo atual há muitas razões para isso. Mais importante: a Grande Guinada pode nos pegar desprevenidos, adormecidos, caso a interpretemos mal ou falhemos em acolhê-la. Quando parece que nossos filhos se importam com tudo e com todos, exceto com o pai e a mãe, podemos nos comportar passivamente e desistir em vez de nos comprometermos com eles quando mais precisam de nós. Em meio à confusão, paramos de nos comunicar e nos deixamos abater. Isso me remete a uma cena do filme *Sr. e Sra. Smith*, estrelado por Angelina Jolie e Brad Pitt. A Sra. Smith diz a um terapeuta: "Tem esse enorme espaço entre nós. E só continua se enchendo com todas as coisas que nós não dizemos um para o outro".[1] Com que frequência isso acontece no relacionamento com nossos filhos adolescentes? Muita!

Em geral, nem mesmo percebemos que pegamos no sono, até que acordamos e vemos nossa família à beira do perigo. Nossos filhos estão perdidos, e a vida que pensávamos ter desmorona de repente à nossa volta. Ficamos atônitos com o que vemos ao redor. Pense na quantidade de maridos ou mulheres que vão embora de uma hora para outra, desfazendo-se de seu casamento, aparentemente sem aviso prévio. O cônjuge abandonado fica ali, sozinho, de pé numa sala vazia, arruinado, perguntando-se como aquilo pôde acontecer. Mas os sinais de alerta estavam lá. Ocorre que o cônjuge que foi deixado estava dormindo, alheio, talvez muito concentrado em tudo o que acontecia ao redor em vez de olhar para o cenário bem à frente. Como pais e mães, devemos nos envolver consistentemente com nossos filhos, sobretudo durante a pré-adolescência e a adolescência, quando eles mais precisam de nós, mesmo que não pareça. Lembre-se, ainda que ocupe a quarta posição no *ranking* de influência sobre seus filhos, você ainda está no páreo, e tem a responsabilidade de manter-se atuante na vida deles.

Minha família é prova cabal de que o que digo é verdade. No início de 2014, notamos que vínhamos dormindo. As paredes de nossa casa, que considerávamos seguras e intactas, estavam prestes a desmoronar. Tudo começou quando uma de nossas filhas confessou a Kristin que, nas madrugadas, costumava pensar em formas de suicídio. Isso abriu nossos olhos para uma realidade inteiramente nova. Nossa garota vinha sofrendo de uma sombria e silenciosa depressão por causa do ambiente instável em que vivíamos. Quem mais contribuía para aquela situação era meu filho mais velho, que sofre de distúrbios do desenvolvimento neural, os quais integram a síndrome do espectro alcoólico fetal. A mãe dele consumiu drogas e álcool durante a gravidez, o que causou danos irreversíveis ao cérebro do menino. Quando o adotamos, ele tinha 3 meses de vida. Seu córtex pré-frontal, região responsável por funções de raciocínio, lógica, autocontrole e regulação de impulsos, não funcionava de modo apropriado, razão por que ele tinha ataques violentos, destruía objetos e machucava as pessoas, principalmente a mim e a Kristin. Tínhamos de estar alerta 24 horas por dia, sete dias por semana, o ano todo. E esse contexto desencadeou a depressão de nossa filha.

Pouco tempo depois, descobrimos que estávamos sendo investigados pelo conselho tutelar por causa de más escolhas de outro filho nosso. Aquele período ficou marcado em nossa história familiar como um dos mais nefastos. Vivíamos ansiosos, sempre achando que alguém levaria nossos filhos embora — um dos piores sentimentos que existem. Na mesma época, fui destituído de algumas funções na igreja e passei a receber um salário menor. Estávamos em uma casa que não podíamos manter e com uma pilha de contas que aumentava a cada semana.

Nossa família estava em péssimos lençóis, tateando no escuro. Kristin e eu nos demos conta de que havíamos dormido no curso da vida e da criação de filhos. Nossos garotos e garotas vinham escolhendo formas nocivas de dar vazão ao próprio estresse. O consumo de coisas prejudiciais substituía relações sadias. Alguma coisa ali precisava mudar radicalmente; era imperativo que acordássemos. Mais do que nunca, tínhamos de nos comprometer com nossos filhos, e foi exatamente isso que decidimos fazer.

Vendemos nossa casa-para-lá-de-dispendiosa e saímos de 400 m^2 para viver em uma chácara de 180 m^2 no outro lado da cidade. Tínhamos coisas demais, então vendemos ou doamos a maioria delas. Vendemos um dos carros e nos desfizemos de decorações natalinas, móveis sobressalentes, roupas, tudo que nosso pequeno novo abrigo não comportasse. Foi uma boa decisão, visto que eu seria demitido meses depois — não por algo que me desabonasse, convém dizer. Tratava-se de um péssimo lugar para trabalhar, com uma liderança precária. (Essa transição me forçou a atuar em tempo integral como autor de *blog*, escritor e palestrante. Amo o que faço!)

Se eu pudesse, esqueceria que 2014 existiu. Mas foi um ano de despertamento, com uma enorme reviravolta em minha família, e sou grato por isso.

Um comentário sobre sair do sono

Despertar da letargia parental não implica ativar o modo Comandante, uma reação irrefletida bastante comum. A vontade que dá é de confiscar os telefones dos filhos, bloquear chamadas dos amigos deles, esmagar as coleções de CD, cancelar a TV a cabo, escancarar as cortinas do quarto, e lançá-los no sótão escuro para que fiquem por lá cantando hinos. (Não? Ok, você entendeu o que eu quis dizer.)

Quando Kristin e eu enfim despertamos, não nos tornamos fanáticos religiosos, nem disciplinadores opressivos, como alguns podem pensar em sugerir. Uma coisa é garantir que os limites sejam respeitados e as regras, cumpridas; outra coisa é exagerar nessa garantia. Partir para a ruptura familiar não é uma forma legítima nem construtiva de resolver as coisas, além de ser o oposto do que Jesus fez ao interagir com as pessoas. Ele nunca lançou mão de retórica religiosa ou plano de ação corretiva ao se dirigir a alguém arruinado. O Jesus a quem seguimos ama de maneira desmedida, livre, extravagante. Ele se agrada de nós e de nossos preciosos filhos, até mesmo quando colocamos tudo a perder. E foi justamente assim que Kristin e eu reagimos em casa. Embora nossos filhos tivessem cometido erros graves, não deixamos que seus equívocos os definissem. Encaramos a situação desta forma: nossos maiores erros nunca nos definiram, então isso valerá para nossos filhos também. Não houve constrangimento, desdém, brigas e absolutamente nenhum sermão. Que proveito haveria em deixar que as irmãs malvadas e suas amigas tivessem lugar em nosso lar? Elas não fariam nada para ajudar nossos filhos a atravessar suas lutas e escuridão, e ainda nos afastariam uns dos outros.

Ao acordar desse sono, tenha em mente que seus filhos são humanos como você, gente de carne e osso, pessoas que cometem erros. Então, dê um descanso a eles. Lembre-se de influenciá-los pelo amor, intencionalmente, de maneira construtiva e afirmativa. Em primeiro lugar, concentre-se no coração de seus filhos; só depois volte-se para o comportamento e as escolhas deles. Considere que seu objetivo não é fazê-los marchar em linha reta, mas ajudá-los a aprender a viver com liberdade. Isso se alcança mediante o amor, e não apenas com regras e restrições.

PAUSA PARA REFLEXÃO

1. O que você pode fazer para agir de modo mais consistente na criação de seus filhos?
2. Mais especificamente, como buscará maior regularidade no que se refere a aproveitar os pequenos e os grandes momentos que você tem com eles?
3. Como pretende ser consistente na definição e no reforço de limites e, quando estes não forem respeitados, das devidas consequências?
4. O que você tem feito para se manter alerta e vigilante quanto à criação de seus filhos? Em que aspectos tem estado adormecido?

11

Hollywood mentiu para você!

Dica 7: Ame a despeito de qualquer coisa

O amor é parte importante da influência que exercemos, e também é crucial para a construção de um relacionamento duradouro com nossos filhos. Usamos a palavra *amor* para coisas bem diferentes. Ela tem sido tão diluída e indiscriminadamente utilizada em nossa sociedade que se tornou ruído branco. O amor é tema de quase todas as músicas *pop* e o mote de muitos filmes e programas de TV. Dizemos que amamos nossa roupa favorita, a bebida que escolhemos no Starbucks, nosso telefone celular, um namoradinho, um bicho de estimação, o carro novo, um emprego (às vezes).

Pouquíssimas vezes encontrei um pai ou uma mãe que se recusasse a dizer que amava seus filhos mais do que qualquer outra coisa no planeta. Quer sejam filhos biológicos, quer tenham chegado até nós mediante adoção, nós os amamos. Afirmar menos que isso seria desumano. Mas será que o amor que temos por nossos filhos é tão óbvio para eles quanto é para nós?

O velho ditado é legítimo: *atitudes falam mais que palavras*. O modo como cuidamos dos filhos, a quantidade de tempo que passamos com eles, o interesse que demonstramos pela vida de cada um, se damos mais atenção a eles, ao computador ou ao celular (eles percebem, acredite em mim) — tudo isso reforça neles a noção de serem ou não alvos do nosso amor.

Mas as palavras também importam. Será que realmente validamos e motivamos nossos filhos? Dizemos a eles que acreditamos em suas capacidades, em sua habilidade de fazer boas escolhas, em seu potencial? Celebramos o sucesso e o brilhantismo deles? O modo como falamos também conta: o que estamos comunicando por meio de nosso tom de voz?

Atitudes e palavras são conceitos vinculados um ao outro, unidos letra a letra. Dançam juntos no palco de nossos relacionamentos, sobretudo na relação com nossos filhos. Ambos são necessários se quisermos demonstrar o amor que há em nós. O amor se evidencia na forma como falamos quando nossos filhos pisam feio na bola. O amor resplandece quando celebramos grandes vitórias com eles, ou quando os acompanhamos enquanto se lamentam por perdas devastadoras. O amor vai à frente quando temos de agir de modo incisivo ou reforçar um limite nada agradável. O amor é luz que orienta quando abraçamos nossos filhos em meio à dor e às feridas e dizemos que tudo ficará bem, que Papai e Mamãe não estarão sempre por perto.

Palavras e atitudes amorosas devem seguir de mãos dadas. Não se pode ter umas sem as outras, mas não é isso que o mundo nos diz sobre o amor. Filmes, programas de TV e canções costumam enfatizar sentimentos — paixão passageira, emoções superficiais — ou mencionar algo que alguém faz ou deixa de fazer. Relacionamentos entre pais e filhos são comumente retratados por meio de histórias encantadoras. É raro ver aquele amor não refinado, difícil, que se sacrifica diante das tempestades da vida. De vez em quando, um programa ou filme captura isso de modo preciso (como é o caso dos filmes *Juno* e *Uma lição de amor*, ou das séries *This Is Us*, *Parenthood* e *The Fosters*); porém, a maioria deles carece de amor verdadeiro.

Como dizer "Eu te amo"

Sei por experiência própria como é importante ouvir "Eu te amo" de um pai ou uma mãe. Na minha infância e adolescência, minha mãe e eu tivemos um relacionamento sólido, cuidadoso, permeado de amor e aceitação. Era a ela que eu recorria quando me sentia sozinho, precisava ouvir um "Meu menino" ou queria uma opinião sobre um grande problema. Foi ela quem conversou comigo sobre garotas e, mais tarde, sobre o que eu deveria ou não fazer quanto às mudanças em meu corpo. Era dela o colo em que eu afundava meu rosto cheio de lágrimas quando os colegas da escola zombavam de mim ou me acusavam de coisas horríveis e mentirosas. Ela me via jogar basquete. E, quando eu tinha 3 anos, decidiu me levar à igreja. Durante toda a minha infância, desfrutamos uma relação intensa e amorosa.

Com meu pai, não foi bem assim. Na verdade, quando eu era garoto, vivíamos em conflito, e isso só se agravou quando cheguei à adolescência. Não que meu pai não tivesse a intenção de amar a mim e à minha irmã; ele apenas tinha um jeito peculiar de demonstrar amor. Vivia nervoso, quase sempre explodindo. Raramente nos dirigia palavras positivas, e nunca identificamos incentivo ou aprovação em seu tom de voz. Ele tinha o dom de juntar diversos xingamentos numa declaração bastante franca. Minha irmã e eu estávamos sempre a postos, alertas a explosões repentinas.

No verão, enquanto Papai trabalhava, nós brincávamos ao redor da casa de manhã até a tarde, livres como toda criança deve ser, sem recear insultos ou constrangimentos. A gente se divertia com crianças vizinhas, correndo entre as árvores que ficavam atrás de nossa casa, construindo cabanas de cobertor no meio da sala, criando mundos imaginários na despensa, e muito mais.

Era assim até as 16h30. Quando o ponteiro menor passava de 4 e o maior chegava a 6, tudo se transformava. Tinha de se transformar. Papai estaria de volta em sessenta minutos, e tudo o que havíamos criado durante o dia deveria ser desfeito. Toda imaginação materializada em algum lugar deveria ir abaixo, e tal lugar, restabelecido. Toda ferramenta, todo pedaço de madeira, todo cobertor ou travesseiro tinha de retornar ao local de origem, ou estaríamos em apuros. Das 16h30 às 17h30, diariamente, inspecionávamos a casa, a área ao redor do lago, o celeiro e até mesmo a rua, à procura de qualquer coisa que estivesse fora do lugar. A maioria de nossos amigos ia embora antes que Papai chegasse; todavia, se continuassem por perto, ele fazia questão de reclamar, dar lição de moral e repreender, sem se importar com nosso constrangimento.

Entretanto, vez ou outra acontecia algo mágico. O relógio marcava 17h30 e... nada do Papai. Alguns minutos depois, caso ele não tivesse chegado, a esperança florescia em nosso coração. "Será que ele foi para o bar com a turma do trabalho?" Aquilo significaria mais três horas de vantagem. Se o relógio registrasse 18 horas, sabíamos que ele só chegaria bem mais tarde, quando já estivéssemos em sono profundo, totalmente seguros.

Cada uma das palavras que acabei de escrever me soam abomináveis — a verdade é dolorida demais. Lembro-me de, com apenas 6 ou 7 anos, ter jurado a mim mesmo que nunca seria um pai como aquele para meus filhos. Eu detestava o medo que sentia sempre que, depois de um dia repleto de encanto e criatividade, olhava para cima e via o relógio marcar 16h30. Eu odiava os sentimentos contraditórios que experimentava quando meu pai ficava fora até mais tarde, como o alívio misturado ao desejo de ter a companhia dele.

Isso não é vida para uma criança, de jeito nenhum. Ainda assim, muita gente é criada por alguém semelhante a meu pai. Eu sabia que ele me amava, e ele fez muitas coisas boas para nós, mas não raro eu me achava um estorvo para a família. O que vivi naquele período minou minha autoconfiança, e duvidei da minha capacidade de me manter de pé; questionei se um dia seria bom o suficiente, se minha vida importava.

Não estou dizendo que, se ele tivesse sido um pai presente ou dito palavras positivas para mim, meus conflitos internos estariam todos resolvidos. Mas ouvir um "Eu te amo, você é ótimo, você importa" teria feito enorme diferença. Conheço muitos pais e mães que criaram bem seus filhos: aceitaram suas imperfeições, celebraram as pessoas que eram — sua criatividade, suas incoerências, sua individualidade — sem críticas e julgamentos infundados. E essas crianças cresceram livres e confiantes. Sim, houve várias ocasiões da minha infância nas quais me senti valorizado, mas eu gostaria que elas não estivessem escondidas sob a nuvem de preocupação que me deixava receoso quando meu pai chegava do trabalho.

É evidente que as crianças devem arrumar a bagunça depois de brincar, bem como cuidar dos pertences das outras pessoas. Meu pai não estava errado em reforçar essas exigências. Mas ele não parava para observar nossa criatividade nem demonstrava amor por nós; apenas nos deixava envergonhados. Se adotasse uma abordagem saudável, primeiro admiraria as coisas impressionantes que havíamos criado e depois, com gentileza, nos lembraria de pôr tudo em ordem.

Não tenho nada contra meu pai. Eu o perdoei e sou grato por termos desenvolvido uma relação intensa e amorosa, sobretudo de 2009 em diante. De fato, uma experiência que tive com ele há não muito tempo destaca a importância do amor parental. Jamais me esquecerei do verão de 2013. Eu trabalhava em uma grande igreja, na região norte de Indianápolis, e estava escalado para falar nos três cultos previstos para um domingo de manhã. Meus pais viajaram de Cincinnati para me ver pregar, algo que só haviam feito duas vezes antes, então eu estava bastante animado. E nervoso. Lembro-me de avistá-los na quarta fileira enquanto eu ministrava a mensagem. O culto correu bem e, de lá, eles foram almoçar em nossa casa. Depois do almoço, meu pai estava me mostrando seu carro novo quando resolveu parar e olhar bem nos meus olhos.

— Foi um culto maravilhoso, Michael — ele comentou.
— Você se saiu muito bem com aquela mensagem.
— Obrigado! — respondi.

Então ele disse algo que guardarei para sempre em meu coração:

— Enquanto eu o via ali, pensei: "Aquele é meu filho". Estou tão orgulhoso de você!

E me abraçou.

Eu agradeci e enxuguei as lágrimas que escorriam dos meus olhos.

Como demonstrar amor

Palavras amorosas são extremamente importantes, mas não bastam. Devemos reforçar nossas palavras com ações; ou seja, não apenas dizer "Eu te amo", mas também demonstrar amor.

Lembro-me de momentos em que Papai nos amou por meio de ações. Houve noites de verão nas quais Mamãe trabalhou até mais tarde, então ele nos levou para andar de barco.

Outra vez, dirigindo para o trabalho, ele ouviu um anúncio de rádio sobre um parque de diversões e decidiu tirar folga naquele dia. De volta para casa, levou toda a família para um dia de aventuras. E quando, em um torneio esportivo, o técnico me deixou no banco em razão de eu ter errado muitos passes, meu pai estava lá, com a mão sobre meu ombro enquanto eu chorava. Ele não disse nada, mas estava lá.

As palavras se tornam banais quando não se apoiam em atitudes. E atitudes podem se tornar vazias de significado quando não são acompanhadas de palavras amorosas. Pais e mães: suas palavras e suas atitudes têm, juntas, o poder de elevar a confiança e o senso de dignidade de seus filhos a níveis que ultrapassam o maior arranha-céu do mundo. E nunca é tarde demais. No entanto, por favor, não espere o tempo passar nem se prive de viver essa experiência por achar que parece constrangedora. Promova seus filhos. Valorize-os. Defenda-os fervorosamente. Apoie a singularidade de cada um e deixe-se maravilhar por ela.

Ame-os a despeito de qualquer coisa.

Amor incondicional

Você ama seus filhos incondicionalmente, sem reservas, mesmo quando eles cometem erros ou escolhem caminhos que contrariam suas esperanças ou expectativas?

Pode até ser óbvio que *devemos* amá-los incondicionalmente, mas de fato os *amamos* assim? Persistimos em amor, com palavras e atitudes, quando nada coincide com nosso plano perfeito, com a nossa visão sonhadora à la *Gilmore Girls*? É possível que, ao chegarem a nós, nossos filhos tenham se encaixado perfeitamente no plano que tínhamos para eles. Mas, considerando que são seres humanos livres para cultivar os próprios pensamentos e crenças, posso apostar que a realidade agora já não é igual. Meu objetivo neste capítulo é confrontar uma visão equivocada acerca do amor.

Durante todo o tempo em que trabalhei com famílias, primeiro na igreja, depois como consultor, encontrei centenas de pais e mães que amavam seus filhos... sob determinadas condições. Eu os reconhecia quase que de imediato quando os ouvia falar, pois concentravam-se totalmente no desempenho dos filhos: o que estes faziam e deixavam de fazer ou quanto ficavam aquém das expectativas. Nunca duvidei do amor de um pai ou de uma mãe, mas muitas vezes me perguntei se esse amor vinha acompanhado de ressalvas.

Não estou justificando más escolhas feitas por filhos, nem advogando uma parentalidade permissiva. Regras e limites são imprescindíveis, e a criança ou o adolescente que não está submetido a limites saudáveis corre o risco de ter a alma arruinada por achar que merece tudo ou por não se responsabilizar por nada, entre outros fatores. Kristin e eu não toleramos desrespeito e reforçamos a noção de que cada um de nossos filhos deve arcar com as consequências de suas escolhas, sejam elas boas ou más. O amor incondicional não é um cupom onde se lê "Passe livre para atos inconsequentes". Apesar disso, será que limites e consequências precisam ofuscar o amor que pai e mãe têm pelo filho? Penso que não.

Você pode garantir que uma consequência se cumpra ou permitir que seu filho sofra os desdobramentos das más escolhas que fez e, ainda assim, praticar o amor incondicional. A razão pela qual comumente falhamos aqui é que deixamos que nosso ponto de vista, nossos ideais e planos para esse filho sobreponham o amor que nutrimos por ele. E usamos todo tipo de desculpas para justificar nossas ressalvas.

Como seria se incorporássemos o amor em nossas palavras e atitudes até mesmo naquelas ocasiões em que nossos filhos se envolvem em sérios apuros?

Como seria se combinássemos advertência, repreensão ou ensinamento com declarações gentis, afetuosas, coerentes com o que dizemos e fazemos? Será que não é possível mesclar disciplina firme e amor genuíno?

Como seria se nos deixássemos conduzir pela compaixão por nossos filhos e pela celebração por serem quem são em vez de nos frustrarmos por haver problemas a resolver? E se gentilmente os lembrássemos de que são responsáveis por dar um jeito na própria bagunça e, ao mesmo tempo, apreciássemos quão preciosos e criativos eles são?

Kristin e eu adotamos várias crianças que sofrem de desordens do espectro alcoólico fetal. Em razão de suas mães terem consumido álcool durante a gravidez, essas crianças acabaram vítimas de prejuízo cerebral permanente, o que comprometeu suas habilidades de raciocínio e autorregulação. Um de nossos filhos reage de forma violenta e impulsiva, tornando nossa parentalidade uma tarefa penosa e frustrante, sobretudo quando não temos tempo de responder às suas perguntas a contento, o que agrava seu mau humor. Precisamos ficar muito atentos com o que dizemos e fazemos. Por causa do trauma que sofreu, ele tende a perder ainda mais o autocontrole quando confrontado com palavras duras. Se ficamos na defensiva ou agimos de maneira brusca, ele costuma igualmente se colocar na defensiva e agir de forma brusca. Muitas das batalhas veladas que travamos com ele no passado poderiam ter terminado bem mais rápido se estivéssemos com as emoções em ordem. Aprendemos a nos manter calmos em nosso tom de voz e nossa linguagem corporal, mas também firmes quanto às expectativas que temos para ele.

Há alguns anos, em uma noite de Natal, esse nosso filho teve um enorme ataque de raiva. Seus irmãos e irmãs já tinham ido para a cama, mas ele ainda estava acordado, querendo ver TV, comer o quinto sanduíche seguido, beber o vigésimo copo d'água, etc. Às 22 horas, a resposta que lhe demos foi: "Não, você já teve tudo de que precisava". Ele reagiu arrancando enfeites da árvore de Natal, coisas que tinham valor afetivo para nós, e atirando-os contra a parede. "Bom Natal, um feliz Natal...", certo? Ele parecia ignorar propositalmente os enfeites baratinhos comprados no Walmart e ir direto para as relíquias de família, passadas de geração a geração!

Eu estava sentado à mesa de jantar, com o computador na minha frente. Minha ira subia como um vulcão em erupção, e eu me sentia prestes a explodir na tentativa de assustá-lo de maneira tal que nunca mais fizesse uma coisa daquelas. Mal tinha acabado de levantar para pôr em prática a minha investida quando vi piscar na tela do computador uma notificação de mensagem vinda de Kristin, que estava sentada ali perto, trabalhando em seu *laptop*. Olhei para baixo e li: "Não seja reativo. Não há nada que ele quebre que não possamos substituir ou que tenha algum valor real".

"Ah, claro", pensei. "E o que dizer daquele ornamento que herdamos da Vovó?"

A mensagem dela continuava: "Não podemos dar corda para o comportamento dele. Ele quer ver nossa reação, mas não podemos fazer isso".

Sentei-me de volta, mirei a tela do computador e passei a ignorar o que meu filho fazia a poucos metros dali. Até hoje, considero que aquela foi uma das coisas mais difíceis que já fiz como pai. Tudo em mim gritava por reação, na ânsia de impedir que ele continuasse agindo daquele jeito e deixar bem claro que não tolerávamos aquilo.

Então, aconteceu algo incrível. Poucos minutos depois da perspicaz mensagem de minha esposa, o garoto parou o que estava fazendo. Olhando de soslaio, pude notar seus ombros descerem e seu corpo relaxar. Quando nos certificamos de que o ataque tinha terminado, Kristin e eu dissemos calmamente a ele que estávamos satisfeitos por ter decidido parar. Depois, frisamos que ele teria de limpar a bagunça que havia feito e voltar tudo para o devido lugar. Nossa estratégia funcionou.

Reflita um pouco. Como seria se, em vez de reagir de imediato, motivados por raiva ou frustração, nós, pais e mães, permanecêssemos calmos? E se, em vez de dar atenção a maus comportamentos — o que pode agravar a situação —, nós pacientemente esperássemos a poeira baixar, e então apontássemos com firmeza os limites e as regras? Como nossos filhos reagiriam? Que fim teriam esses conflitos? E, mais importante, o que estaríamos comunicando a nossos filhos quanto ao que sentimos por eles mesmo quando discordamos de suas escolhas e atitudes?

Naquela noite, não relevamos o mau comportamento, nem reagimos com depreciação ou humilhação. Simplesmente esperamos. Essa estratégia calma e firme é comumente ensinada a pais e mães que adotam crianças vítimas de trauma; porém, acredito que ela serve para todos que têm filhos. O tom de voz, as reações, as palavras e as atitudes de um pai e de uma mãe podem resultar em aumento do conflito ou em paz. Também podem definir como nossos filhos se veem e o que acham que pensamos sobre eles.

Deixe-me dar outro exemplo. Todo outono, meus amigos

Jason Morriss e Andrew Schneidler e eu organizamos um evento nacional chamado Road Trip, exclusivo para pais adotivos (o que vale para nós três). Levamos o pessoal para passar três dias nas montanhas do Colorado e ali conversamos sobre a vida e a criação de filhos, sobre nossos receios e fracassos, sobre a graça, etc. Essas conversas acontecem durante refeições, visitas improvisadas a cervejarias artesanais, escaladas e ao redor da fogueira. O tempo que passamos juntos é para lá de extraordinário — e se você sente uma pontinha de inveja, é o que deveria sentir mesmo. Jason conduz as conversas mais importantes, no café da manhã e no jantar. Em 2018, ele lançou uma pergunta da qual me lembrei ao escrever este capítulo: "Se minha filha escolher caminhos tortuosos, descobrir que sua menstruação está atrasada e tiver medo da minha reação, ela se sentirá segura para me procurar e dizer o que está acontecendo?". Ele parou por um instante. "O papel que assumo — de juiz ou de observador — é o que determina a resposta. O que farei primeiro: proteger o coração da minha filha ou apontar a falha que ela cometeu?"

A sala, cheia de homens costumeiramente barulhentos, foi tomada pelo silêncio. Pela primeira vez na vida, muitos daqueles homens se viram diante de algo que nunca lhes havia passado pela cabeça: "Será que amo meus filhos a despeito de qualquer coisa?". Muitos de nós ali vínhamos lidando com crianças cuja história era traumática, o que punha abaixo as expectativas idealizadas que nutríamos acerca da vida e da criação de filhos. Estávamos numa encruzilhada, considerando se abraçaríamos a realidade, lançando-nos ao nosso "novo normal", ou se continuaríamos chafurdados no esforço inútil de alcançar a parentalidade sonhadora de *Gilmore Girls*.

Seus filhos o conhecem por suas previsíveis repreendas, humilhações, reações exageradas, ultrajes, imposições?

Ou o conhecem por sua ternura? Seu amor? Sua receptividade incondicional?

O outro lado do amor

Em Hollywood, amor é romance. Tem a ver com casais que se abraçam enquanto o vento sopra esvoaçando as cortinas e o luar invade o ambiente, derramando-se pelo chão. Hollywood resume o amor parental a episódios de trinta ou sessenta minutos. Pode até ser mostrado como algo difícil, mas a solução sempre chega rápido.

O amor genuíno tem aspectos bem diversos, comumente descritos por palavras como *sexo, romance, êxtase, excitação, aconchego, paixão, confiança, incentivo, compromisso*. E quero sugerir outra palavra importante: *confusão*.

O quê? Sim: confusão é um aspecto importante do amor verdadeiro. Amar é viver a imperfeição dentro desses nossos corpos humanos, com essas ideias e sentimentos humanos que muito frequentemente nos traem. É descobrir como vamos nos levantar do chão e seguir adiante. Amar é envolver os braços ao redor de sua filha quando ela está depressiva a ponto de desejar se esgueirar até o armário de remédios no meio da noite e engolir todos os comprimidos de uma só vez. E o amor não a envergonha por sentir-se assim.

Quando sua filha chega em casa e conta que está grávida mas não tem nenhum compromisso com o pai do bebê, nenhuma ideia do que fazer e condição nenhuma de cuidar de uma criança, amar é olhar bem nos olhos dela e dizer que você a ama profundamente apesar das escolhas que ela fez (e que, a despeito de qualquer coisa, ama o filho que ela trará ao mundo). O amor permite que, depois de fechar a porta tão logo sua filha saia acompanhada do namorado assustado, você corra para seu quarto e, desolado, grite, solte palavrões e arremesse coisas pelas próximas duas horas. Amar é acreditar em sua filha — reconhecê-la como boa pessoa, digna de confiança, de um futuro, e capaz de fazer escolhas sábias e responsáveis —, ainda que ela não atenda às suas expectativas. Amar é jogar pela janela todas as suas previsões e continuar orando por sua filha, mantendo-se otimista em relação a ela.

Amar é cruzar o país de avião para visitar um filho em uma casa de abrigo depois de ele ter se mostrado violento a ponto de inviabilizar a própria permanência em família, em razão de ter ferido irmãs e irmãos mais novos. Amar é passar um belo e tranquilo fim de semana na companhia desse filho e depois ter de ir embora deixando-o aos prantos na porta do abrigo. Amar é dizer que ele só poderá voltar para casa quando estiver bem. Amar é valorizar esse filho e empenhar-se em conquistar o coração dele, independentemente do que tenha feito no passado. Amar é acreditar que ele também é digno de confiança e de um futuro.

O amor é algo tão entranhado dentro de nós que pode nos fazer dar a vida pelos filhos, sacrificar-nos seriamente por eles sem levar em conta as escolhas que fazem ou as pessoas que se tornam. Isso é amor. Amar é reunir-se em família ao redor de uma árvore de Natal e cantar juntos. Amar é repartir o pão à mesa e rir enquanto vêm à memória cenas hilárias e toscas ocorridas nas últimas férias. Arrepios e aconchego *são* amor. Mas isso é só uma parte do grande quadro que retrata o amor. Amar é agir de maneira tão intensa e obstinada que nada nos refreia, nem quando as paredes desmoronam, nem quando os conflitos se intensificam, nem quando a esperança se esvai.

Então, pergunte-se: "É esse amor que sinto por meus filhos? Acredito neles independentemente de qualquer coisa ou de quem se tornem? Meu amor permanece inalterado quando eles põem tudo a perder?".

Ou será que os conceitos, os ideais, os pontos de vista e os planos bem elaborados que você adotou de antemão o estão impedindo de realmente ver seus filhos e conhecer o que há no coração deles? Será que sua maior preocupação não é provar que você está certo, vencer uma discussão ou ensinar o que é correto em vez de conquistar o coração de seus filhos? Pois tenho algo a lhe dizer: o verdadeiro teste do amor não ocorre quando tudo são flores, quando seu filho faz tudo do jeito que você imaginou. O verdadeiro teste acontece quando tudo vem abaixo, quando seus melhores planos se tornam uma pilha de cinzas e você luta para encontrar um raio de luz em meio à escuridão. Você é capaz de continuar amando seu filho e de fazer isso de forma mais intensa do que nunca? Consegue amar seu filho no mais puro caos tanto quanto o ama quando tudo é paz?

A lição do perdão

E o que dizer de quando pisamos na bola com um filho? De quando colocamos tudo a perder, deixamos o sangue subir à cabeça, dizemos algo que não pretendíamos, subimos o volume da voz desnecessariamente ou perdemos as estribeiras por completo com esse filho — ou mesmo com a família toda? Sejamos honestos aqui. Não é questão de *se*, mas de *quando*. Afinal, somos humanos. Cometemos erros. Gostaríamos de poder dizer que superamos essa fase, mas isso não é verdade. Refiro-me a mim também.

O pai e a mãe que exercem boa influência vencem a tentação de ser os Amigões de seus filhos e de se preocupar apenas em fazê-los felizes. Esse pai e essa mãe se despem do papel de Sonhadores (papel esse tão vinculado a uma parentalidade idealizada que os faz ignorar oportunidades óbvias) para de fato educar. Esse pai e essa mãe deixam de lado a abordagem do tipo Comandante, renunciando à ânsia por controle, domínio, poder absoluto. Eles se afastam do modo Inspetor, colocando-se em estado de amorosa observação de seus filhos antes de repreendê-los. Esse é o segredo para conquistar o coração.

Mas e os momentos em que falhamos, as situações nas quais caímos em um desses padrões indesejáveis?

Podemos buscar o perdão de nossos filhos? Podemos aceitar que eles nos perdoem? Uma das coisas mais difíceis que já tive de fazer foi pedir perdão a um filho, pois tomar uma iniciativa dessas é algo que vai de encontro a tudo o que privilegio, em especial por ser orgulhoso e resistir a me mostrar vulnerável. Todavia, qual é o custo de não me desfazer do orgulho e de não corrigir as coisas? Um preço muito alto para me arriscar a ter de pagá-lo. Nestes dezesseis anos criando filhos, aprendi o que devo fazer para ganhar o coração deles.

Por mais que já tenha evoluído, ainda preciso melhorar. Entende o que quero dizer? Às vezes nós vamos falhar. Recentemente, fui acampar com meus três meninos mais novos. Passamos um tempo maravilhoso juntos, mas quando o fim de semana estava prestes a acabar, o caçula começou a se opor a tudo o que eu lhe pedia. Reagi com desdém e repreensões e, por fim, explodi. Fracassei!

Tive de agir com humildade e pedir o perdão dele. Foi duro, mas valeu a pena. Há potência e liberdade na busca por perdão: ela ensina nossos filhos a perdoar.

Poucos anos atrás, perdi a cabeça com minha filha, a terceira mais velha, com 13 anos à época. Nós discordamos quanto a um assunto, a coisa virou um impasse e, então, evoluiu para uma disputa para ver quem gritava mais. O tom que ela usava era desrespeitoso, hostil, mesquinho, completamente inapropriado. Eu sabia que poderia diluir a discussão se baixasse a guarda e parasse de botar lenha na fogueira. Contudo, foi um daqueles instantes da vida em que me perdi. Fui consumido pelo desejo de sair vitorioso e perdi de vista o coração de minha filha; deixei de ouvi-la. O comportamento dela era previsível, embora não fosse aceitável. Mas eu era o adulto, o pai. Eu é que deveria ter mantido minhas emoções sob controle. Em vez de ouvi-la com calma e paciência, observando-a e conversando com ela, recorri a palavras ferinas a fim de dominar a situação e triunfar. No segundo seguinte, enchi-me de remorso.

Minha filha rompeu em lágrimas e subiu como um foguete para seu quarto, batendo a porta ao entrar. Constrangido e furioso comigo mesmo, fui dar uma volta de carro. Passei as três horas seguintes em um *pub* perto de casa, assistindo a uma partida de futebol americano e tentando me dar conta do que acabara de fazer. Mandei uma mensagem para minha esposa, perguntando como estava a menina. Kristin, que não havia presenciado a discussão pois estava no mercado, respondeu: "Ela está triste e confusa". Senti-me um verme. Pedi o conselho de Kristin, que disse: "Espere até amanhã, e então peça perdão a ela. Isso é tudo o que você pode fazer". Minha esposa estava certa.

Eu tinha escolha: poderia afundar na autopiedade e me manter pesaroso, acreditando na voz que me chamava de fracassado, ou poderia engolir o orgulho e agir proativamente me acertando com minha filha. Havia duas opções, mas só uma delas era apropriada.

Em circunstâncias como essa, muitos de nós agravamos o erro. Quando falhamos com nossos filhos ou cônjuge, com frequência nos convencemos de que somos um fiasco incorrigível. Deixamos que nossos deslizes definam quem somos. Jogamos a toalha e nos contentamos com o rótulo de fracassado. Mas essa linha de pensamento não poderia estar mais distante da verdade. Nossos erros não nos definem. Você não se chama "Fracasso", nem eu. Nossa identidade não coincide com a vergonha. O melhor que podemos fazer depois de pisar na bola é assumir o erro, consertá-lo e empenhar-nos em agir diferente dali em diante. Não foi nada fácil, mas foi o que fiz na manhã seguinte àquela discussão com a minha filha. Quando ela desceu para ir à escola, eu a coloquei no meu colo, fitei os olhos dela, admiti que havia errado e lhe pedi perdão. Ela não disse nada, apenas acenou afirmativamente com a cabeça. E foi só isso. Não havia mais o que dizer. Eu não precisava me justificar nem relembrar a noite anterior. Nem mesmo esperava que minha filha se desculpasse pelas coisas que dissera. Isso pode soar incômodo para você, mas eu sabia qual era meu alvo: ganhar o coração, não a disputa.

Minha disposição para agir com humildade e conquistar o coração da minha filha rendeu frutos inesperados. Poucos dias depois desse episódio, eu o relatei a um amigo, que comentou:

— E você buscou o perdão dela?

— Sim — respondi. — Foi difícil, mas acatei o conselho da minha esposa.

Ele pensou por um segundo e, então, afirmou:

— Você deu à sua filha um belo exemplo de como perdoar os outros. Ao ver que o Papai se dispõe a pedir perdão pelos próprios erros, ela não só aprende uma lição valiosa como também percebe o que realmente há no coração dele.

Fiquei impressionado. Nunca tinha pensado daquela forma. Para mim, pedir perdão costumava significar admitir fraqueza. Por anos evitei isso. Meu orgulho sempre havia vencido, especialmente no que dizia respeito à criação de filhos. Eu tinha de estar com a razão, provar meu argumento e garantir que meus filhos soubessem quem mandava ali. Mas buscar o perdão da minha família era o correto a fazer. Ainda havia muito a reparar em nosso relacionamento, e a confiança mútua deveria ser reconquistada, mas estávamos em paz.

Uma das belas recompensas desse episódio (e de outros semelhantes a ele) é ver meus filhos agirem da mesma forma e buscar o perdão das pessoas. Recentemente, quando minha filha se envolveu em fofocas sobre um garoto da vizinhança, ela foi até a casa dele por iniciativa própria, bateu à porta e se desculpou pelo que fizera. Meu coração se alegrou com isso.

Aquele meu amigo estava certo, e suas palavras me abriram os olhos. Amar nossos filhos implica vencer o orgulho, admitir que estamos errados, buscar o perdão e aprender a viver de modo mais virtuoso. Agindo assim, damos o exemplo de como eles podem perdoar também. Entretanto, quero acrescentar outra ideia. Quando nos mobilizamos para obter o perdão de nossos filhos, oferecemos a eles não apenas um modelo de como perdoar, mas também de como é importante pedir perdão quando erramos com alguém. E quem melhor do que pai e mãe para oferecer esse modelo? Que influência poderosa e transformadora!

PAUSA PARA REFLEXÃO

1. Como você costuma definir o amor?
2. De que modo a ideia que você tem sobre o que é amor determina seu relacionamento com seus filhos?
3. Que condições você acha que impõe para amar seus filhos?

O que é necessário para que essas condições deixem de existir e você os ame a despeito de qualquer coisa? (Quais confusões você está disposto a enfrentar?)
4. Em que medida você se dispõe a buscar o perdão de seus filhos? Caso considere apropriado, pense em como pode fazer isso em relação a um erro (do passado ou recente) que cometeu contra eles.

12

O maior inimigo de quem tem filhos

*Dica 8: Dê atenção ao que é verdadeiro
a seu respeito*

Se eu caminhasse por uma rua qualquer perguntando a pais e mães o que eles consideram ser o maior inimigo no que se refere à parentalidade, que resposta você acha que dariam?
"O comportamento dos meus filhos."
"A cultura *pop* e sua influência sobre os adolescentes."
"Músicas e filmes indecentes."
"Drogas e álcool."
"Pornografia."
"Escolas públicas."
"Tendências de moda e discussões sobre as roupas que meus filhos escolhem usar."

E se nada disso realmente fosse um inimigo para pais e mães? E se estivéssemos equivocados quanto às influências que acusamos e combatemos? Proponho essas perguntas porque, quanto mais me esforço para ser um bom pai, mais percebo qual é meu maior adversário: o medo. E descobri que esse adversário se apresenta de duas principais formas.

Medo da inadequação

Já comentei que cresci com um pai explosivo que se prendia à única coisa que eu fazia de errado, mesmo que eu acertasse em outras 25. Isso criou em mim um sentimento de inadequação sobre quase tudo o que fazia, inclusive na vida adulta. Toda vez que realizava algo notável, logo começava a me achar insuficiente ou a pensar que os outros eram melhores do que eu. Esses sentimentos de desconformidade me perturbaram também no casamento e na criação de filhos. É precisamente por esse motivo que digo que não apenas as palavras de incentivo, mas também a expressa celebração de quem nossos filhos são — nas boas e nas más ocasiões — constituem elementos essenciais para a autoestima e a autoconfiança deles.

Eu me sentia tão inadequado que costumava me perguntar por que minha esposa havia me escolhido como marido. Eu achava que havia muitos outros rapazes melhores para ela. Em nossos primeiros desentendimentos, eu dizia coisas estúpidas, como: "Bem, acho que você deveria ter se casado com fulano, pois ele seria diferente de mim".

Como se pode imaginar, isso não ajudava em nada. Durante anos, as dúvidas e as inseguranças que eu nutria sobre mim abriram um buraco entre nós. Kristin acreditava que deveria provar constantemente que eu era bom o bastante para ela, e eu pensava estar o tempo todo provando que não era. A sensação de que devemos o tempo todo provar alguma coisa para o nosso cônjuge é algo tóxico para o casamento, e levei anos para me dar conta disso. Enfim, Kristin olhou firme em meus olhos e me disse para acabar com aquilo de vez. Ela afirmou que havia me escolhido porque *desejara* se casar comigo.

Quem dera poder dizer que essa história termina aqui. Na verdade, quando me tornei pai, meu senso de inadequação se agravou. Mesmo que as desavenças com minha esposa tivessem diminuído, as crianças me deram outros motivos para me sentir inadequado. Caso um filho se irritasse com alguma coisa ou se frustrasse comigo, eu encarava a situação como um sinal de que não era um bom pai. Caso um deles ficasse mal-humorado e se retraísse ou dedicasse atenção a algo que não a mim, meu complexo de inferioridade corria solto. Passei anos acreditando que questões comportamentais relacionadas a traumas vivenciados por meus filhos antes da adoção eram resultado da minha péssima conduta como pai. Toda dificuldade emocional, todo ataque de raiva, todo problema na escola era por culpa *minha*.

Durante muitos anos, esses sentimentos impediram que eu me relacionasse de verdade com meus filhos.

Outra maneira bastante comum pela qual a voz da insuficiência alcança nosso coração é por meio da armadilha da comparação. Deparamos com outros pais e mães que parecem ter tudo sob controle e imediatamente começamos a nos comparar. Os filhos deles são felizes, enquanto os nossos estão sempre irritadiços, nervosos, tristes. Aquele pai e aquela mãe se mostram sensatos e ordeiros, ao passo que nós nos sentimos perdidos e desiludidos. Eles parecem ter um estoque infinito de disposição para eventos extracurriculares, mas nós bocejamos só de pensar em fazer qualquer coisa que ultrapasse o mínimo para sobreviver. Comparamos, avaliamos a nós mesmos de cima a baixo e nos consideramos insuficientes. Chegamos à conclusão de que não somos bons pais, mães ou cônjuges porque não temos o que os outros têm, não nos vestimos como eles se vestem, não oferecemos tanto quanto eles oferecem.

Esse é o medo da inadequação, que trabalha noite e dia para nos convencer de que não somos bons o bastante.

Medo do fracasso

O medo do fracasso está intimamente ligado ao medo da inadequação. Na realidade, o primeiro pode ser o ditador tirano, e o segundo, seu primeiro-tenente. Como pai, eu temia o fracasso quase que diariamente. E, quando me desentendia com meus filhos ou dizia e fazia algo que os punha para baixo, a impressão que tinha era de havê-los perdido. Eu acreditava que nunca seria melhor que minhas falhas. O sentimento diante disso era terrível, e foi um dos maiores desafios que enfrentei nessa jornada. No passado, meu medo de fracassar me consumia e quase me paralisava, tornando-me um pai pouco eficiente.

O medo do fracasso adora se infiltrar em tudo o que fazemos. Até mesmo nas ocasiões em que experimentamos paz e conexão com nossos filhos, esse sentimento aparece e nos faz crer que o insucesso que tanto temíamos é bastante real. Ele nos convence de que os erros que cometemos (e que todo ser humano comete) nos anulam por completo.

Então, quando nosso adolescente se aborrece conosco por termos negado a ele algo perigoso ou nocivo, achamos que pusemos tudo a perder. Convencemo-nos de que a felicidade e a infelicidade de nossos filhos é resultado direto de nosso êxito ou fracasso como pais ou mães.

Às vezes, sentindo-nos culpados por erros passados e movidos pela insensatez, somos condescendentes com nossos filhos. Contudo, sabedores de que isso não é uma atitude responsável de nossa parte, carregamos o peso de uma segunda falta. Há pouco tempo, uma de minhas filhas adolescentes armou um desses disparates, e eu caí. Depois disso, martirizei minha mente e minhas emoções até que meu amigo Jason foi bem direto comigo: "Pare de pensar essas coisas a seu respeito, Mike. Você não beneficia sua filha e sua família em nada quando se acha um fracasso só por ter cometido um pequeno deslize. Isso não reflete quem você é nem seu valor como pai. Então, chega!".

De início, detestei ouvir isso; mas eu precisava desse chacoalhão.

A lógica por trás do medo

Como é que o medo consegue nos derrotar desse jeito? Ele sabota nossa voz interior e a utiliza contra nós. Admitimos com muita facilidade o que ouvimos em nossa mente. Você conhece essa fala. É como um sussurro: "Você não é bom o bastante", "Seus filhos merecem um pai, uma mãe melhor", "Se pudessem, eles escolheriam outra pessoa para esse papel", "Você é a causa dos problemas de seus filhos". Acreditamos nessas e em muitas outras declarações falsas porque damos ouvidos à nossa própria voz.

Sendo uma pessoa de fé, creio que o medo é uma das muitas ferramentas que Satanás, o inimigo da humanidade, usa contra nós. E confie no que digo: o adversário ama me convencer de que *sou* inadequado e fracassado como pai, marido e amigo. Quando acredito nessa inverdade e me rendo a ela, o inimigo vence. O medo triunfa, e eu fico no chão em vez de me levantar e seguir em frente. Quando me considero um fracassado, crio uma enorme divisão entre mim e meus filhos. Quando me julgo inadequado, prejudico o relacionamento com meus familiares — a visão turva que tenho de mim mesmo faz que eles se enxerguem de modo igualmente distorcido. Quando acredito nas mentiras de Satanás, o inimigo (que usa o medo para me atacar), torno-me inoperante. Dessa forma, abro espaço entre mim e meus filhos e deixo que esse buraco se encha de culpa e ressentimento em vez de pedidos de perdão, silêncio em vez de palavras de afirmação. Quando me entrego ao medo, ele destrói as possibilidades que tenho de nutrir meus filhos, defendê-los, educá-los e provê-los de exemplos do que é a graça.

Já se sentiu assim? Derrubado pelo medo da inadequação e do fracasso? Já se desentendeu com seu cônjuge ou filhos por ter se submetido indevidamente a esse temor? Em caso afirmativo, você se deixou levar por mentiras a seu respeito. Permitiu que o inimigo da humanidade o derrotasse. E aqueles pequenos tesouros que o chamam de Papai ou Mamãe pagam caro por isso. A verdade é que há um Pai celeste acima de todos os seus temores, e ele dá os recursos necessários para que você se encaixe perfeitamente em sua família. Esse Pai o ama intensa e profundamente; portanto, não se deixe intimidar por seus medos. Eles não podem impedir que você seja o que há de melhor para sua família — a menos que você lhes dê permissão para tanto.

A voz da verdade

Você *não* é um fracasso. E você *não* é inadequado em seu papel de pai ou mãe. Seus filhos *não* estariam melhor se fossem cuidados por outra pessoa. Seu cônjuge também não. Seu empenho dedicado *não* está estragando seus filhos nem fazendo que eles afundem num mar de insegurança. No entanto, deixar que suas próprias incertezas determinem como será seu convívio e seu relacionamento com eles, isso, sim, *pode* arruiná-los.

E quanto à armadilha da comparação: *seja você*. Alegre-se em ser a Mamãe ou o Papai de seus filhos. Ninguém mais neste mundo foi incumbido dessa responsabilidade, somente você! Pare de se comparar com os outros, independentemente de como pareçam viver. A realidade é que você não tem a menor ideia do que acontece na vida deles, na casa onde moram. Não dá para estimar seu próprio valor com base em algo que você não sabe acerca de outra pessoa. Além do mais, cada um tem uma missão para com a própria família; sua missão é diferente da minha, que é diferente da de outros pais e mães. Cada família tem seus desafios, os quais não podem ser objetos de comparação. Posso estar desempenhando muito bem minhas atribuições, mesmo que não haja sinais visíveis disso.

Você comete erros, como todo mundo, mas esses erros não definem quem você é. Portanto, não deixe que eles privem seus filhos do incentivo, da capacitação e da confiança que tão encarecidamente precisam receber de você. Quando você cede à história narrada dentro de sua mente e permite que seus equívocos o definam, no longo prazo seus filhos começam a refutar seus exemplos e sua autoridade. Os medos que você abriga não têm poder para mudar suas oportunidades e seu poder de influência.

Comece a ouvir a voz da verdade: "Você é boa mãe", "Você é bom pai". Estamos constantemente sob sérios ataques. Vivemos num mundo que nos bombardeia com muitas vozes, dizendo-nos para fazer isso ou aquilo, seguir tal pessoa, amar como aquela mãe, ser provedor como aquele pai. Mas escute o que é verdadeiro.

Por anos lutei contra a voz do medo, achando-me inadequado e fracassado. E continuava no chão. Até que aprendi a orar: "Senhor, que a voz da verdade fale mais alto que a do medo". Quando se ora assim, a voz do medo começa a gritar. As investidas pioram. Mas, quanto mais você mergulha na verdade sobre Deus e sobre si, mais distantes ficam essas outras vozes. Ainda haverá dias de insegurança; porém, apesar disso, você se tornará mais confiante em discernir o que é verdadeiro do que não é.

Siga em frente

Recentemente, meu filho e eu assistimos ao filme *A família do futuro*, lançado em 2007. A história é bonita, inspiradora, encorajadora. Minha cena favorita é aquela em que Lewis, o garoto protagonista, tenta consertar a máquina do tempo que o levou para o futuro na companhia de Wilbur, um suposto agente de segurança. Lewis lamenta:

— Nem sei o que estou fazendo...

— Siga em frente — Wilbur relembra.

— É que essa coisa é avançada demais pra mim.

— Siga em frente.

— E se eu não conseguir consertar, o que que eu faço?

— Siga em frente.

Wilbur explica que "Siga em frente" se tornara o lema de seu pai depois que este criou as Indústrias Robinson para produzir invenções em larga escala. Certa noite, o pai de Wilbur acordou pensando no projeto de uma máquina do tempo. O protótipo dessa máquina falhou 952 vezes! "Mas", comenta Wilbur, "ele não desistiu! Ele ralou, ralou até que finalmente... ele conseguiu."

Outro trecho de que gosto muito é quando a arma de Lewis explode e suja toda a família, e todos celebram o fracasso do garoto. Quando eles o cumprimentam pela tentativa malsucedida, a tia Billie diz: "Fracassando, se aprende. Com o sucesso, não se aprende".

Fracassos acontecem, mas também nos oferecem escolha: ou ficamos afundados no chão, ou nos levantamos e *seguimos em frente*.

Trata-se de uma batalha que vale o coração de seus filhos. Eles precisam que você faça a escolha certa.

PAUSA PARA REFLEXÃO

1. Em que aspectos você permitiu que o medo da inadequação e o medo do fracasso se infiltrassem em seu espírito e no modo como você cria seus filhos?
2. Quando você fracassa, o que o impede de seguir em frente?
3. Que passos você pode dar no sentido de resistir à voz enganadora, dar ouvidos à verdade, levantar-se e seguir adiante?

13

Sobre lápides e saladas de batatas

Dica 9: Deixe um legado duradouro

Quando vou a conferências, em geral não permaneço sentado por muito tempo, em razão de meu severo déficit de atenção. Tenho dificuldade para acompanhar palestras extensas e frequentemente deixo de registrar muito do que é dito pelo palestrante. Isso pode tornar os almoços desses eventos bem estranhos, pois, quando os colegas conversam sobre algo engraçado que um orador disse, eu fico perdido.

Contudo, lembro-me nitidamente de uns poucos momentos de conferências das quais participei. Muitos anos atrás, estive em um seminário conduzido pelo guru da liderança John Maxwell. O tema era o conteúdo de seu livro recém-publicado à época, *As 21 irrefutáveis leis da liderança*. Maxwell falou sobre legado e sobre o que as pessoas dirão de nós em nosso velório. A certa altura, enquanto ele discursava, escrevi isto: "Pouco depois de seu enterro, as pessoas vão se juntar em uma reunião simples, comer salada de batatas e contar histórias sobre você. Começarão a falar sobre sua vida: o que você fez com ela e como se relacionou com as pessoas que amava e com os colegas de trabalho. Faça esta pergunta a você mesmo: 'O que as pessoas dirão sobre mim?'".

Recordo-me de poucas outras coisas daquele encontro, que durou apenas um dia. Todavia, registrei tudo que precisava ouvir. Estávamos no ano 2000, mas aquelas palavras escritas em meu caderno me acompanham desde então.

Legado.

Como diz John Keating, interpretado por Robin Williams no filme *Sociedade dos poetas mortos*: "Somos alimentos para os vermes. Porque, acreditem em mim, cada um de nós desta sala algum dia vai parar de respirar, ficar frio e morrer".[1] É verdade! O que fazemos hoje será, naquele instante, uma história positiva, transformadora... ou não. Se deixarmos um legado de amor, bondade, graça, perdão, paciência, autocontrole e compaixão, ele permanecerá potente e benéfico por meio de nossos filhos, dos filhos deles, dos filhos dos filhos deles. Esse legado seguirá transformando gerações. Por outro lado, se formos exigentes, desrespeitosos, dominados pela raiva ou conhecidos por humilhar nossos filhos, até seremos lembrados, mas não de maneira positiva.

De uma forma ou de outra, nosso legado começará a ter voz quando as pessoas, enquanto comem a salada de batatas, compartilharem suas memórias durante a reunião que virá depois de nosso funeral. Elas poderão rir das coisas engraçadas que costumávamos dizer ou mesmo das maluquices que fazíamos, lembrando-se de momentos agradáveis que passaram em nossa companhia; ou poderão dizer que gostariam de ter tido uma relação diferente conosco. Essa herança, positiva ou negativa, se manterá na forma como nossos filhos veem o mundo e interagem com ele. Além disso, contribuirá para definir o modo como criarão os próprios filhos. Consegue notar que seu jeito de viver hoje é crucial para o que vai acontecer depois que você se for?

Você e eu deixaremos algum tipo de herança. Se for um legado de amor, ele se estenderá para além de nós e continuará tendo efeitos transformadores. O que a história de nossa vida vai dizer? Mais importante: como nossos filhos se lembrarão de nós, Papai e Mamãe?

Inspirado por uma lápide

Há muitos anos, quando eu ainda era pastor de jovens, juntei-me a uma equipe de filmagem para uma aventura num cemitério pouco conhecido, a fim de gravar uma série de vídeos que ilustrassem a relevância da história de vida de cada ser humano e o que essas histórias dizem ao mundo. O clima estava gelado em Indiana, e era véspera do Dia de Ação de Graças. O cemitério se escondia entre campos de trigo, um riacho e um bosque. Seria impossível identificá-lo ali, a menos que se conhecesse bastante a região. Apesar disso, o local era bem cuidado. As lápides datavam desde o final do século 19 até os dias atuais, e aquele foi um dos cemitérios mais intrigantes que já visitei.

Eu não costumava prestar muita atenção às lápides de gente desconhecida, mas naquele dia comecei a olhá-las com mais interesse. Percebi que a maioria indicava as datas de nascimento e de óbito do sepultado. Então, encontrei uma que me inspirou, no túmulo de um homem chamado Charles, que morrera trinta anos antes. A inscrição na pedra já se mostrava um tanto gasta, mas ainda legível:

"Papai Charles"
4 de agosto de 1911—21 de junho de 1981
Marido amoroso
Pai dedicado
Amigo leal
Eterno sonhador
Seguidor de Cristo
Sua jornada segue viva nas vidas que você tocou.

Eu não fazia a menor ideia de quem fora Papai Charles, mas, naquela tarde fria, fiquei maravilhado diante de seu túmulo. Eu jamais o encontraria deste lado da eternidade, mas me senti inspirado por ele, talvez mais do que por qualquer outro ser humano. Ao que parece, Charles teve uma vida gloriosa e deixou um legado significativo e duradouro. A jornada que ele vinha trilhando desde seu nascimento até o instante em que faleceu se manteria ainda que ele não vivesse mais. Esse foi o legado de Charles, a história que se estendeu para além dele. Posso apostar que ele fez tudo o que estava ao seu alcance, aproveitando ao máximo cada momento que teve na terra, a fim de garantir que sua vida ecoasse até gerações futuras. "Sua jornada segue viva nas vidas que você tocou."

Também quero refletir sobre os dias que se seguiram depois do último suspiro de Charles: embora tristes, seus entes queridos começaram a contar a história dele com alegria e gratidão. Eu gostaria de conhecer os filhos dele e os ouvir falar sobre o pai. Tenho vontade de saber como Charles viveu, como foi seu amor pelos filhos, como usou o tempo e o que achava da influência que exercia sobre sua família. Não acho que as palavras que uma pessoa recebe em sua lápide sejam escolhidas ao acaso. Palavras talhadas em pedra têm seu propósito.

Não podemos resgatar toda a biografia de um homem com base em um epitáfio; porém, esse último testemunho público me leva a crer que Charles lutou bravamente para conquistar o coração de sua esposa e de seus filhos, e esse investimento renderá ganhos eternos.

Quando minha vida acabar, espero que minha lápide conte uma história semelhante à de Charles. Desejo com todas as minhas forças gastar a vida dedicando tempo aos meus filhos, amando-os incondicionalmente e lutando com bravura pelo coração de cada um. Quero que meu legado remeta a isso.

Exatamente como Terry

Nunca vou me esquecer de 2004. Eu servia como pastor de jovens em uma pequena congregação em Indiana, e naquele ano passei pela maior provação que já enfrentei como pastor e pessoa de fé. Entre os meses de agosto e novembro, nossa comunidade perdeu mais de dez adolescentes em acidentes de carro. Agi na linha de frente, aconselhando garotos e garotas do meu grupo de jovens — todos estavam arrasados pelo que acontecera com seus amigos. Amigos que tinham visto um dia antes, na saída da escola. Amigos com quem haviam dançado a noite toda no baile de volta às aulas. Amigos em cujas casas tinham dormido poucos dias antes. Essa experiência me fez perceber que ninguém está preparado para o luto e que adolescentes não têm ideia de como lidar com as emoções. Vou me lembrar para sempre do dia em que me sentei no chão da biblioteca do colégio, acompanhado de outro pastor de jovens local e de estudantes arrasados pelo luto.

Contudo, o Natal daquele ano está ainda mais cravado em minha memória. Na noite de 22 de dezembro nevou muito, e na manhã seguinte acordei diante de um belíssimo dia de inverno. Enquanto minha família ainda dormia, escapei para uma cafeteria para terminar um breve trabalho antes de cuidarmos dos preparativos finais para o feriado próximo. Depois de uma ou duas horas, guardei meu *laptop* na mochila e fui para casa em meio a uma luminosa manhã, motivado a passar o dia com minha esposa e filhos. Quando entrei em casa, Kristin veio até mim com uma expressão apreensiva. Ela havia chorado.

— O que há de errado? — questionei.

Balançando a cabeça e com os olhos voltados para baixo, ela disse num engasgo:

— Esta noite, Terry, o pai de Abby e de Adam, faleceu enquanto dormia.

Eu conhecia Terry de um trabalho que fiz em parceria com um programa de contraturno escolar voltado para jovens. Ele era um bom homem; fiquei chocado com a notícia.

Poucos minutos depois, Kristin e eu fomos fazer companhia para Abby, Adam e Kristie, mãe dos garotos. A sala de estar onde nos reunimos tinha uma atmosfera pesarosa. Vários de nossos jovens e voluntários estavam ali também, confortando os amigos; Abby e Adam estavam envolvidos pelos braços da mãe. Passamos um bom tempo orando juntos. Ao final, Kristie puxou os filhos para bem perto e lhes disse:

— Papai os amava tanto, tanto!

Mais tarde vim a saber que, na noite anterior, Abby e Adam ficaram até altas horas na companhia do pai e de um grupo de amigos, dando gargalhadas enquanto assistiam a *reality shows* na TV. Que última recordação mais maravilhosa!

Alguns dias depois, havia uma multidão no velório de Terry. Enfileiradas, centenas de pessoas aguardaram durante horas do lado de fora, num dia gelado, para prestar homenagem ao falecido e abraçar a família enlutada. Tanto o velório quanto o enterro foram marcados pela celebração por aquela vida extraordinária.

Quando voltamos do sepultamento, pensei: "Quero que minha vida seja tão extraordinária quanto a de Terry". Naquela época, eu era um pai de 28 anos que contava com uma longa vida pela frente. Tinha três filhos pequenos, e aquele episódio me fez ajustar o foco do meu tempo e da minha atenção.

A vida de Terry falava por si. Hoje, o legado dele continua falando por meio de seus filhos, que se tornaram pessoas amáveis, bondosas, compassivas e atenciosas.

Sei que minha vida e minha história são únicas; mas, se eu tiver alguma possibilidade de interferir no modo como minha biografia será contada ou com o que ela se parecerá, quero que seja como a de Terry. E desejo uma lápide que lembre a de Papai Charles.

De que maneira você e eu podemos deixar um legado que fale alto e ecoe tanto quanto o de Terry? O que fazer para sermos lembrados como Charles?

Simples: tirando o melhor proveito possível das nove dicas de parentalidade, a fim de construir uma relação positiva e duradoura com nossos filhos.

Revisando as nove dicas

Este livro trata de como reconhecer e usar a influência que exercemos sobre os nossos filhos. É assim que conquistamos o coração deles e deixamos uma marca duradoura. Dedicamos tanto tempo e atenção a coisas pequenas que perdemos de vista o que de fato importa: nosso cônjuge e nossos filhos. Essas nove dicas de parentalidade não são, em si, um alvo a ser alcançado, mas elas mudaram o cenário em minha casa e me ajudam a me tornar a melhor versão possível de mim mesmo.

1. *Influencie combinando amor e disciplina.* Comece acreditando que você é, de fato, uma poderosa e eficiente voz de influência na vida de seus filhos. Lembre-se: sua função é ser, acima de tudo, pai ou mãe. Você não está criando filhos apenas para o aqui e agora; é necessário pensar no longo prazo. Frequentemente, pais e mães que não reconhecem a

própria influência se perdem na relação com os filhos, pois se esquecem de sua motivação. O propósito de todo pai e toda mãe deve estar centrado no amor, em limites saudáveis e em uma educação consistente, em qualquer fase de sua jornada parental.

2. *Saiba o que é a Grande Guinada e acolha-a.* Ao perceber subitamente que despencou da primeira para a quarta posição no *ranking* de influência sobre a vida de seu filho (ficando atrás dos amigos dele, da cultura e de outros adultos), o que você faz? Isso vai acontecer porque seu filho vai crescer, e o relacionamento de vocês vai mudar. Essa pessoa que antes colocava você a par de tudo e queria sua companhia o dia todo de repente fica distante e temperamental. Primeiro: lembre-se de que sua voz ainda é relevante para seu filho, mas há outras. Segundo: acolha essa mudança e avance com seu filho para novos territórios. Se você se mostrar resistente e lutar por controle, assumirá o padrão de um Comandante ou Inspetor. Ou, como um Sonhador, tentará se apegar a uma relação idealizada. Pode, ainda, procurar tornar-se o Amigão de seu adolescente. Porém, esses estilos parentais colocam você sob o risco de perder o coração dele.

3. *Busque outras vozes influentes.* À medida que crescem, os filhos passam a dar atenção a outros adultos e gravitam na direção de pessoas que cuidem deles. Em vez de resistir, ajude-os a escolher outras vozes responsáveis (líderes de pequenos grupos, pastores, professores, treinadores, amigos de confiança). Amplie a rede de relacionamento de seus filhos convidando para fazer parte dela pessoas que afirmem o mesmo que você vem dizendo e que consigam respostas mais receptivas.

4. *Use o tempo com sabedoria.* O tempo que você tem é limitado; então, a quem ou a que você o está dedicando? Seu tempo pertence às pessoas que amam você, que se referem a você dizendo "Papai", "Mamãe", "Querido", "Querida". Nosso tempo pode ser fragmentado e consumido por muitos elementos irrelevantes que competem por ele; devemos reservar aos nossos familiares tempo ininterrupto, exclusivo. Dedique-se, em especial, a aproveitar os pequenos momentos — aqueles aparentemente insignificantes — com sua família, e não apenas grandes ocasiões, como as férias. Leve seu filho ao mercado quando tiver de fazer compras, joguem bola no quintal, coisas desse tipo. Assim, você aumenta bastante a quantidade de tempo de qualidade que tem com ele.

5. *Mantenha-se comprometido com seus filhos.* Qual é seu grau de comprometimento com a vida de seus filhos? Lembre-se: compromisso é a porta para conhecê-los em primeira mão e ter uma boa relação com eles. Estar plenamente presente o ajudará a aprender e entender de que seus filhos gostam, de que não gostam, os sonhos que têm, os receios, as dificuldades. Passem tempo juntos sem distrações e tenham encontros especiais. Escute o coração de seus filhos.

6. *Seja consistente.* Você ama seus filhos de maneira consistente, em particular passando tempo junto deles com frequência? Estabelece limites razoáveis e se mantém resoluto quanto às consequências de não serem observados, para que seus filhos conheçam suas expectativas? Mantém-se atento a seus filhos e ao que acontece na vida deles? Demonstra constantemente a seus filhos quão importante é o que eles sentem e pensam, e faz isso sobretudo escolhendo ganhar o coração deles em vez de apenas ganhar

discussões? Consistência é algo essencial para a saúde de seus filhos (e para você também). Ela promove confiança, mesmo quando aquilo que você reafirma regularmente não é palatável para eles, e mesmo quando você tem de guiá-los pelos terrenos áridos da vida. "Consistência" e "melhores resultados possíveis" são sinônimos.

7. *Ame a despeito de qualquer coisa.* Como você reage quando um filho erra? Você ama, passa sermão ou humilha? Você ama seus filhos incondicionalmente, ou deixa seu amor no modo de espera quando eles não atendem a certos requisitos? Eles têm liberdade para ser quem Deus planejou que fossem quando os criou, ou suas expectativas os estão sufocando aos poucos? E, quando falha com eles, você pede que o perdoem, ou o orgulho leva a melhor? Amar está longe de ser algo fácil — pode ser bem complicado, na verdade —, mas sempre vale a pena.

8. *Dê atenção ao que é verdadeiro a seu respeito.* O maior inimigo de pais e mães é o medo, que se manifesta de duas maneiras: medo da inadequação e medo do fracasso. Facilmente acreditamos que somos inadequados no que se refere à parentalidade, em especial quando caímos na armadilha da comparação, prendendo-nos à realidade de outros pais e mães ou a algum padrão amplamente difundido. Isso faz que nos sintamos menores do que somos. Por sua vez, o medo do fracasso nos convence de que somos definidos pelos equívocos que cometemos como pais e seres humanos. Mas a graça muda tudo isso. A graça que Jesus prontamente nos deu nos liberta desses medos.

9. *Deixe um legado duradouro.* Quando você estiver morto e sepultado, o que seus filhos dirão a seu respeito? Que história representa o intervalo entre seu nascimento e sua

morte? Você amou seus filhos incondicionalmente? Serviu de exemplo de perdão e serviço para eles? Observou a vivacidade de seus filhos e se maravilhou dela, ou destacou os pontos fracos deles? Que tipo de legado você deixará quando for embora?

Isso é só o começo. Você deve continuar lutando diariamente para conquistar o coração de seus filhos. Não é algo que se faça uma vez e pronto. Siga empunhando a bandeira do amor e da sabedoria, mesmo que tudo fique extremamente difícil. Escolha amar essas pessoas incríveis e magníficas que vieram como bênçãos para você. Celebre os êxitos de seus filhos, e celebre *seus filhos* quando falharem. Com eles, você terá de enfrentar períodos de dúvida e desilusão, bem como de esperança e satisfação. Essa é a dor e a delícia da criação de filhos. Mantenha-se no rumo.

PAUSA PARA REFLEXÃO

1. Que tipo de legado você está deixando para seus filhos?
2. O você tem feito a fim de servir de exemplo para seus filhos quanto aos valores que deseja passar para eles?
3. Que fatores estão prejudicando a qualidade ou o impacto de seu legado? O que pode fazer para mudar esse cenário?
4. O que você quer que registrem em sua lápide?

PARTE III

SEGUINDO ADIANTE

14

Os sapatos que os pais devem calçar

O conceito de bom pai e boa mãe

Você entrará em território novo quando colocar em prática as nove dicas de parentalidade e começar a influenciar seus filhos de maneira saudável. Ainda será preciso enfrentar fases desfavoráveis, mas isso será feito com clareza de propósito. Você sabe que está lutando pelo valioso coração de seu filho. Sua intenção é ser capaz de observar o coração dele e, por isso, você está aprendendo a controlar suas próprias emoções.

Recentemente, ouvi meu filho dizer ao irmão mais novo coisas inaceitáveis, as quais já havíamos deixado bem claro que não seriam toleradas: "Você é um idiota". *Pego em flagrante.*

Sentei o agressor à minha frente e o fiz olhar em meus olhos. Eu poderia ter lhe dado uma bronca. Poderia tê-lo envergonhado, dizendo como ele havia sido perverso ao fazer uma escolha daquelas. Poderia tê-lo desprezado por ignorar nossa frequente orientação. Mas qual seria o custo disso? Qual era a minha intenção: ser categórico ou me conectar com meu filho? O que eu pretendia: vencer a discussão ou conquistar o coração dele?

Passei muito tempo sem compreender como criar filhos de maneira sábia. Eu seguia o padrão "Colha o que plantou" e não fazia nada para me conectar com meus filhos. Quantas vezes perdemos oportunidades preciosas?

Felizmente, naquele dia eu estava com a cabeça no lugar. Meu filho teve de arcar com a consequência de recorrer a uma linguagem que machuca as pessoas. Mas eu aproveitei a oportunidade para fortalecê-lo. Sentado perto de mim, olhos voltados para o chão, ele se mostrava claramente arrependido das palavras que dissera. Sussurrei o nome dele. Devagar, ele ergueu o olhar até meu rosto. Quando nossos olhos se encontraram, eu lhe disse com tranquilidade:

— Filho, você acha que as pessoas se sentem bem ou mal quando ouvem isso que você disse ao seu irmão?

Ele balançou a cabeça negativamente e murmurou:

— Mal.

— E você quer que alguém diga essas coisas a você ou sobre você?

Ele negou com a cabeça mais uma vez. Então, prossegui:

— Não quero que você repita essas palavras, cara. Você é melhor que elas. Você tem um bom coração e ama as pessoas de um jeito incrível. Nunca se esqueça disso. Você é carinhoso, filho, uma das pessoas mais amorosas que conheço. E me orgulho de você por isso!

Ele pensou no que eu tinha dito. Depois, ergueu a cabeça e sorriu.

Quero que meu garoto seja alguém que fala gentilmente com os outros, um homem íntegro, de caráter. Mas para que isso aconteça *eu* devo ser alguém que fala gentilmente com os outros, incluindo ele. Eu devo ter caráter e viver com integridade. Nem sempre é fácil, sobretudo quando já repeti uma instrução um bilhão de vezes e corro o risco de explodir se tiver de dizer uma vez mais. Porém, explosões não trazem benefício nenhum, nem a meus filhos, nem a mim. Sei disso por conhecimento de causa. Venho me esforçando para superar as frustrações, e a abordagem mais sábia se torna também mais fácil quando vejo os efeitos positivos de incentivar meus filhos. Tenho aprendido que é isso o que bons pais e boas mães fazem.

Pais e mães na Bíblia

Não muito tempo atrás, por uma série de razões, eu me desentendi com uma de minhas filhas. Claro que eu estava totalmente apegado ao meu ponto de vista, e ela ao dela. Nenhum dos dois arredaria o pé. Soa familiar?

Um conhecido meu, ao me ouvir reclamar dessa situação, aconselhou: "Você precisa conhecer a parentalidade bíblica. O que os pais e as mães da Bíblia fizeram? Busque respostas lá".

A Bíblia é repleta de muitos exemplos *interessantes*, digamos assim. Ela não foi escrita, a princípio, com o propósito de servir de guia para a criação de filhos, mas de fato provê a sabedoria essencial de que pais e mães precisam. Embora Jesus e Paulo ofereçam muitos princípios para quem tem filhos — como perdão, paciência e honestidade —, nenhum dos dois foi pai, então não podemos considerá-los modelos de parentalidade. Mas atente-se para os seguintes exemplos de pais e mães na Bíblia.

Noé. Um exemplo considerável, não? Noé construiu uma arca para salvar a família, confiou em Deus ainda que isso não parecesse nada sensato, e foi confirmado pelo próprio Senhor como um pilar da fé. A Bíblia chega a dizer: "Noé fez tudo exatamente como Deus lhe havia ordenado" (Gn 6.22). A devoção de Noé a Deus deve ter sido um bom modelo para seus filhos. Entretanto, com base em alguns eventos ocorridos depois do dilúvio, sabemos que Noé não era perfeito (Gn 9.20-27).

Abraão. Em Romanos 4, Abraão é considerado o pai espiritual de toda a humanidade, pelo tipo de fé que exemplificou, e há muita coisa boa a ser dita sobre sua atuação como pai. É bem possível que fiquemos espantados diante de sua disposição para sacrificar o próprio filho (Gn 22.1-19), até que percebemos que isso era contra sua vontade, mas estava de acordo com a profunda fé que ele tinha no Deus que ordenara o sacrifício. Ainda assim, o enredo da história de Hagar e Ismael revela imperfeições de Abraão (Gn 16; 21).

Jacó. A nação de Israel recebeu esse nome por causa de Jacó. Na verdade, durante toda a vida, esse patriarca contou com a lealdade de seus doze filhos; e, em Gênesis 49, vemos que ele os conhecia bem. Todavia, alguns o acusaram de preferir José e Benjamim, os únicos dois nascidos de sua amada, Raquel. Portanto, aqui também temos um bom homem com seu lado falho.

Maria e José. A jovem Maria aceitou a responsabilidade de gestar e criar o Messias, ainda que tenha sido um choque receber tal chamado. José também aceitou desempenhar um papel difícil, criando um filho que todos sabiam não ser dele. Sabemos que ambos amavam Jesus e o tratavam com bondade; mesmo assim, não perceberam que o filho havia ficado em Jerusalém depois de uma viagem em família e demoraram três dias para encontrá-lo (Lc 2.41-51). Para aqueles de nós que somos pais e mães adotivos, ler esse relato é pensar imediatamente no conselho tutelar!

Há algo que aprecio muito nessas histórias: todas elas são sobre pais e mães reais, gente de verdade, que cometia erros. A despeito disso, tais equívocos não impediam que essas pessoas fossem usadas de maneira poderosa, ainda que imerecida. Esse é o poder da graça, e me identifico com isso. Já errei feio nesses dezesseis anos como pai. Falei, pensei e fiz coisas que me tornariam um desqualificado. Porém, retomando o que lembramos aos pais que participaram daquela Road Trip: "Vocês são ótimos pais e maridos. Os erros que cometeram no passado não os definem. Quem os define é Deus, aquele que se agrada de vocês". Como foi com Noé, Abraão, Jacó, Maria e José — seres humanos imperfeitos —, nossas faltas e pecados não atestam quem somos, não são nossos nomes. Isso também vale para avôs e avós, tios e tias, educadores, tutores, qualquer pessoa que seja responsável pela vida de uma criança. Nosso Pai perfeito se agrada de todos nós, pais e mães imperfeitos. A graça transforma tudo.

Você leu este livro sobre criação de filhos até aqui; isso prova que quer ser o melhor pai ou a melhor mãe possível e que deseja o melhor para seus filhos. Ser bom pai ou boa mãe não tem a ver com agir perfeitamente, fazer escolhas sempre acertadas ou nunca pisar na bola. Tem a ver com aceitar essa grande oportunidade, a despeito de nossas imperfeições. Tem a ver com educar com compaixão, amor incondicional e graça porque nós mesmos já recebemos tudo isso em abundância.

A Bíblia não fornece exemplos de parentalidade incontestável, apenas mostra pessoas reais, como você e eu. Mas ela nos desafia a expressar amor, alegria, paz, paciência, amabilidade, bondade, fidelidade, mansidão e domínio próprio (Gl 5.22-23). Ela nos instrui a falar dia e noite a nossos filhos sobre a esperança que temos (Dt 6.7). As Escrituras nos lembram que perdoar os outros da mesma forma que fomos perdoados é a melhor maneira de viver (Mt 6.12). Sejamos gratos a Deus pelo fato de ele ver o nosso coração, e não somente a nossa aparência exterior (1Sm 16.7).

Quatro responsabilidades assumidas por bons pais e mães

Deixe-me expor quatro funções satisfatoriamente desempenhadas por um bom pai e uma boa mãe.

Amparo

Cresci vendo minha mãe como amparadora, a pessoa a quem eu procurava em busca de amor e gentileza quando estava desolado, e meu pai como disciplinador, aquele a quem recorria quando precisava aprender como liderar, ter autoconfiança e ser mais resistente. Eu corria até a Mamãe quando estava ferido, triste ou arruinado, e até o Papai quando precisava de conselho ou auxílio. Foi com esse entendimento que vivi meus primeiros anos como pai. Quando meus filhos pequenininhos estavam aborrecidos, eu me afastava deles, achando que só queriam a mãe. Evitava acolhê-los na hora de dormir e fazer-lhes cafuné enquanto assistíamos a filmes, receando que isso pudesse comprometer minha imagem de líder forte da família. Até que me dei conta de uma coisa: gosto de amparar tanto quanto minha esposa, e ela gosta de liderar e ensinar tanto quanto eu.

Kristin e eu gostamos de nos dedicar às funções parentais, sejam elas supostamente maternas ou paternas. Acredito que nossa sociedade aderiu a uma mentira. Uma das coisas de que mais gosto é cuidar dos meus filhos quando eles estão doentes ou abatidos. Recentemente, levei os três mais novos para acampar. Certa noite, despertei durante a madrugada com o segundo mais novo choramingando de frio. Quando ele me contou o que se passava, de imediato saltei da minha cama para ajudá-lo a recompor a dele e a se aquecer de novo. Eu o aconcheguei e reafirmei que estava ali para fazê-lo sentir-se bem, envolvendo-o com meus braços e ficando bem junto dele até que pegasse no sono. Não teria reagido dessa forma se me ativesse à parentalidade tradicional; talvez dissesse a ele que aguentasse o frio e parasse de reclamar. Que proveito teria uma atitude dessas naquela noite? Acaso teria fortalecido meu vínculo com meu filho?

De modo semelhante, na maior parte do nosso tempo de casados, minha esposa ficou em casa cuidando dos filhos e do lar. Essa é uma tarefa muito maior e mais importante do que as que já executei. Kristin se revelou líder de líderes, falando com eloquência e confiança, sem meias-palavras. Em nossa casa, ela toma a dianteira em muitos aspectos, e sigo seu comando com satisfação. Há pouco tempo, quando precisei passar alguns dias fora, ela não só garantiu que nossos filhos conciliassem compromissos escolares com atividades extras, como também lidou com vários reparos domésticos e, consultando vídeos no YouTube, descobriu uma solução mais barata para um problema detectado em um de nossos carros, pelo que economizamos uma pequena fortuna. Tudo isso num dia só! Assim que nos mudamos para nossa chácara, faltou energia em casa. Kristin telefonou para a companhia elétrica e negociou o valor do serviço. Ela é mesmo uma Super-Mulher! Se minha esposa adotasse uma postura tradicional, ficaria à espera de que eu consertasse tudo (e sou péssimo com essas coisas) ou ensinasse às crianças sobre força e coragem. Repito: que proveito isso teria?

Mães e pais oferecem amparo; mães e pais conduzem a família. Ambos são modelos de coragem e força. Ambos podem ir atrás de uma caixa de ferramentas e pesquisar no Google sobre como consertar um forno. (Caso verídico!) Não pense que somente as mães podem acolher e somente os pais podem consertar e liderar. Quando ambos assumem a função de amparar, os filhos se sentem mais seguros e confiantes.

Defesa

Defender é outra responsabilidade tanto masculina quanto feminina. Temos esse fantástico privilégio de salvaguardar nossos filhos. Mas o que isso significa? Algumas coisas nos vêm à mente quando ouvimos a palavra *defesa*. Podemos pensar em proteção contra riscos físicos, e certamente isso se aplica; mas há muito mais a considerar. Nossos filhos vivem num mundo que tenta convencê-los de que são fracassados, indignos, de que não são bons, bonitos, espertos ou talentosos o bastante. Bons pais e boas mães protegem o coração de seus filhos e sustentam o que é verdadeiro sobre eles, sobre a alma, o brilhantismo e a humanidade de cada um. Esses pais e essas mães defendem os filhos das palavras cruéis ditas pelos colegas da escola ou pelo treinador rigoroso. Também os defendem de um mundo que demanda um padrão de aparência, vestuário, *status* e desempenho. Isso tudo fortalece o vínculo com os filhos.

Você se lembra do filme *Uma equipe muito especial*, de 1992? Em caso negativo, procure vê-lo quanto antes possível. Trata-se de um clássico americano que conta a história de um time feminino de beisebol formado durante a Segunda Guerra Mundial. Em uma das primeiras cenas, o caça-talentos Ernie Capadino viaja com as recém-contratadas Kitt Keller e Dottie Hinson para conhecer Marla Hooch, candidata a integrar o time. Marla é uma jogadora fenomenal que, em campo, deixa os garotos no chinelo. Entretanto, quando ela tira o boné, o olheiro recua: diante da aparência pouco atraente da moça, Ernie descarta o extraordinário talento dela para o esporte. Ao ver que o caça-talentos se prepara para ir embora, o pai da jogadora o confronta e defende a filha com unhas e dentes, explicando que a educara para que agisse como um garoto e pedindo que não fosse desprezada.

Eis o que significa defender nossos filhos. Lutamos por eles quando o mundo lhes dá as costas ou os menospreza. Colocamo-nos entre nosso filho tão amado e o mundo que idolatra desempenho e aparência. Isso não quer dizer que invadimos a sala da diretoria escolar e resgatamos esse filho depois de ele ter ateado fogo no prédio, trapaceado em uma prova ou roubado dinheiro de um colega. Nós defendemos sua honra, seu talento, sua criatividade e seu valor, que nunca diminuem.

Uma das formas de defender nossos filhos é percebendo quem eles verdadeiramente são. Como meu amigo Jason costuma dizer: "Devemos conhecer nossos filhos para que saibamos defendê-los". Quando deixamos de lado o papel de repressores e controladores, abrimos espaço para assumir a importante função de defensores, que é uma das melhores maneiras de expressar amor e graça.

A autoconfiança, o senso de valor próprio e o sucesso de nossos filhos dependem de quão intensamente defendemos a verdade sobre eles.

Liderança

Eu costumava achar que minha tarefa era consertar meus filhos. Muitos deles vieram de um contexto de trauma, e, por isso, alguns de seus comportamentos e das batalhas que enfrentam tornam a vida bem difícil às vezes. Mas, embora eles não sejam responsáveis por terem desenvolvido a maior parte desses comportamentos, eu pensava o contrário. Muitos anos atrás, eu via meus filhos como crianças más que agiam mal e acreditava que minha função principal como pai era controlar a conduta deles, domesticá-los o máximo que pudesse. Logo percebi, porém, que não era esse o meu chamado. De fato, não podemos forçar nossos filhos a corresponder às expectativas que criamos. Podemos trabalhar para exercer boa influência no coração e no comportamento de cada um, mas é inútil tentar dominá-los por inteiro. Além disso, concentrar-se no que está do lado de fora — impor obediência a padrões de conduta exterior — sem considerar o coração resulta em filhos que se esforçam apenas para não serem pegos em flagrante, em vez de filhos que se apropriam do valor de um bom comportamento. Tive um pai que tentou mudar minhas atitudes por meio de gritos, sermões e desprezo; no entanto, tudo o que eu fazia era me concentrar em minha conduta exterior para que não fosse flagrado da próxima vez.

O que significa liderar? Entre outros aspectos, o líder é um modelo, alguém que guia pelo exemplo, que vive o que prega. (Servir de exemplo é algo tão valioso que vou tratar disso em separado.)

O líder é alguém que toma decisões, aquela pessoa que primeiro ouve pacientemente mas que também assume a responsabilidade quando a situação requer decisão.

O líder é alguém que vai corajosamente à frente dos outros, que se posiciona com bravura como condutor, ocupando o espaço entre o perigo que está logo adiante e aqueles que vêm atrás.

O líder não apenas reforça padrões e limites saudáveis, como já dissemos, mas vive com integridade segundo esses padrões. Quem é íntegro comporta-se da mesma forma estando sozinho ou em público, e certamente suas ações exteriores refletem o que há em seu coração.

O líder é também um servo, priorizando outras pessoas e suas respectivas necessidades.

O líder é respeitoso. Como pais e mães, devemos respeitar nossos filhos da mesma forma que esperamos que respeitem a nós e a outras autoridades.

Você não é chamado a controlar, reprimir ou agir impositivamente, mas a exercer liderança legítima. Talvez você nunca tenha se imaginado um líder, mas deixe-me afirmar uma coisa:

seja você pai ou mãe, a função de liderança é sua! Em meio às batalhas com seus filhos, é fundamental para sua relação com eles que você saiba recuar, dominar as próprias emoções e lembrar-se do papel que lhe cabe.

Modelo

Devemos ser modelos de graça, compaixão, perdão, paciência, bondade, gentileza e domínio próprio. Mesmo depois da Grande Guinada, quando somos repentinamente movidos para o quarto lugar no *ranking* de influência, os pré-adolescentes ou adolescentes aprendem conosco algumas maneiras de agir na vida, e isso vale também para aquelas ocasiões em que eles parecem não ouvir o que dizemos. Sei que a impressão é a de que todas as outras pessoas exercem mais influência do que nós, mas esteja certo de que eles nos têm por modelo. Só estão tentando descobrir como viver e se relacionar num mundo ensandecido; estão em busca de identidade, propósito e um lugar neste mundo. É claro que eles seguirão os exemplos dos amigos e serão influenciados por celebridades. Mas, no fundo, mesmo que não pareça, eles querem nossos ensinamentos. Temos essa exclusiva e gloriosa oportunidade de servir de vitrine para os mais importantes valores e habilidades para a vida.

O melhor de tudo? Quando fazemos isso de modo efetivo — ou seja, quando abandonamos o medo e a insegurança e nos assumimos como pessoas influentes sobre nossos filhos —, não precisamos falar tanto. Diante das virtudes que veem em nós, eles começam a aplicá-las na própria vida.

Pais e mães que conquistam o coração dos filhos

Alguns dos exemplos de parentalidade de que mais gosto vêm do filme *A mentira*, em que a adolescente Olive conta mentiras na escola para simular uma realidade mais interessante. Ao mentir sobre sua vida amorosa, ela se vê em apuros. As conversas entre Olive e seus pais ao longo do filme são cômicas, mas quero destacar a conduta calma e paciente desses pais diante de tudo o que a moça vem contar a eles. O casal se sai muito bem nas funções de amparo, defesa, liderança e modelo.

Ao ver a filha desesperada por algo que a melhor amiga lhe fez, o pai de Olive não lança mão de desdém, vergonha ou castigo, nem argumenta que a moça está exagerando. Ele pergunta se ela está bem. Quando Olive confessa ter sido conduzida à diretoria da escola por xingar outra aluna, a primeira reação de seus pais revela paciência e bondade. Em vez de tirar conclusões precipitadas ou mostrar-se prontos para puni-la, eles optam pela conexão, dando à garota a oportunidade de se explicar e prestando atenção no que ela diz. Esse pai e essa mãe acreditam que a filha é uma boa menina ainda que não tenha escolhido bons termos para se comunicar. Eles sabem o que ela carrega no coração e na alma, pois dedicaram tempo para conhecê-la. Também reconhecem que o relacionamento que têm com ela está em uma fase diferente das anteriores e lidam com a Grande Guinada de um modo que outros pais e mães deveriam seguir. Prejudicamos nossos filhos quando reagimos de maneira exagerada em situações que não são nenhum fim do mundo, e fazemos isso na tentativa de deter o controle, buscando mudanças de conduta que não passam de aparência. É certo que devemos estabelecer e reforçar os limites, mas isso precisa ocorrer mediante bondade e compaixão, jamais pela estratégia de massacrar nossos filhos.

PAUSA PARA REFLEXÃO

1. Até que ponto você tem permitido que suas faltas e erros do passado o definam como pai ou mãe (ou como ser humano)?
2. Cite alguns aspectos em que você se vê como bom pai ou boa mãe. Em que situações você tem oferecido amparo, defesa, liderança e modelo a seus filhos? (Celebre seus sucessos!)
3. De que maneira você pode cumprir melhor as quatro responsabilidades de quem tem filhos?

15

Com os olhos no prêmio

A parentalidade é um investimento de longo prazo

Nunca fui muito bom em lidar com dinheiro. Para ser sincero, sou péssimo nisso. Não que eu seja gastador ou viciado em apostas; também não faço compras supérfluas nem me meto em grandes dívidas. Atualmente, a única dívida que tenho é o financiamento da casa. Porém, não me mantenho muito a par de quanto entra ou sai da conta, e não sou bom em equilibrar o orçamento.

Cresci vendo meus pais sendo bem econômicos. Papai se aposentou cedo e desfrutou a liberdade financeira bem antes de seus colegas de serviço. Mamãe também se aposentou logo, depois de trinta anos de trabalho. Meu pai era ótimo investidor, mas nem ele nem minha mãe ensinaram a mim e à minha irmã como poupar ou investir.

Contudo, o cenário mudou em 2008, quando Kristin e eu participamos de um programa de educação financeira promovido em nossa igreja por Dave Ramsey, um especialista no assunto. À época, estávamos afundados em dívidas: um ano antes havíamos assumido parcelas imobiliárias mais caras do que podíamos pagar; além disso, a dívida no cartão de crédito estava ficando fora de controle e ainda tínhamos dois financiamentos de carro que dia e noite nos assombravam como nuvens escuras. Vivíamos descontentes e não havia paz em casa; nossa família e nosso casamento estavam desgastados.

Nos anos que se seguiram àquele programa, conseguimos pagar boa parte das dívidas, refinanciamos a casa com melhores condições de pagamento e aprendemos sobre um conceito que nos era totalmente estranho: investimento.

Eu tinha trinta e poucos anos quando, numa tarde quente de primavera, me reuni com um consultor financeiro que me apresentou opções de previdência privada, fundos de investimento de alta rentabilidade, fundos de ações e um plano de aposentadoria. Nunca me esquecerei daquele encontro, pois ali, pela primeira vez na vida, entendi a importância de pensar no longo prazo. Percebi que devia parar de focar apenas o presente e dar mais atenção ao futuro. Meu futuro. *Nosso* futuro. E o mais significativo: o futuro de *nossos filhos*. Os investimentos de dinheiro que Kristin e eu fazemos hoje são definidos conforme os dividendos que queremos receber lá na frente. O consultor foi bem claro: se começássemos a investir consistentemente — com paciência, sem jamais interromper os depósitos mesmo que houvesse oscilações no mercado financeiro —, receberíamos alto retorno no futuro, quando eu enfim chegasse à aposentadoria.

Aprendi uma verdade simples sobre investimentos financeiros: eles levam tempo para crescer e amadurecer. Não atingem pleno potencial de crescimento em cinco, dez ou quinze anos. Quanto maior o tempo de depósito, mais volumosos ficam. Então, depois de trinta ou quarenta anos a fio — honrando o compromisso mesmo naquelas vezes em que é difícil fazê-lo —, eles oferecem altos dividendos.

Criar filhos é como fazer um investimento. É necessário muito tempo para desenvolver a relação que queremos ter com eles no futuro, quando forem adultos. Não há como desfrutar plena maturidade relacional enquanto nossos filhos são adolescentes. A proveitosa amizade com eles é um dividendo que só podemos acessar depois de muito tempo de investimento, após todos aqueles anos difíceis em que temos de fixar limites e, às vezes, oferecer amor duro.

Já compartilhei aqui que aprendi com minha sogra tudo o que sei sobre influência. Contei que, na infância e na adolescência, minha esposa teve uma mãe, e não uma grande amiga. Sim, a mãe de Kristin soube aproveitar as oportunidades e dividiu bons almoços e cafés com a filha; também teve conversas importantes com ela, tornando-a a mulher forte que é hoje. Mas, quando Kristin passava dos limites, minha sogra reforçava esses limites e fazia valer as consequências desse abuso. Isso não acontecia de forma ríspida, mas de maneira consistente. Não havia nenhuma dúvida de quem estava no comando da casa. Pergunte à Kristin sobre sua infância, e ela lhe revelará boas lembranças. Também lhe contará que foi criada com amor e coerência, mesmo nas ocasiões em que a jornada se mostrou penosa para seus pais e abalou a relação familiar. A forte amizade de que minha esposa e minha sogra desfrutam é resultado dessa criação. Diferentemente do que acontece hoje, elas não eram melhores amigas durante a infância e a adolescência de Kristin; naquela época, o que Kristin precisava era de um pai e uma mãe que a educassem.

É interessante notar que os pais de Kristin se aposentaram bem, com boa reserva financeira. E também encararam a jornada parental como um investimento. Tanto em termos monetários como nas questões relacionais, eles fizeram depósitos regulares ao longo do tempo, conscientes da importância de investir no longo prazo.

De que maneira, então, devemos investir em nossos filhos a fim de colher bons resultados relacionais futuramente? Se essa é uma pergunta que você se faz, isso é sinal de que já está no caminho certo. Listo a seguir alguns princípios que ajudam a definir o foco apropriado para hoje, sejam seus filhos crianças, pré-adolescentes ou adolescentes.

Tempo

Comentei anteriormente sobre a importância de investir boa quantidade de tempo de qualidade com nossos filhos. Isso incute neles o senso de valor próprio e o amor que recebem de nós. Mas agora, sob um olhar mais direcionado ao fim da jornada parental, quero me deter em outro aspecto do tempo. Fazendo uma analogia com o conselho do meu consultor financeiro, posso dizer que leva tempo para "engordar a conta" que temos com nossos filhos. Essa conta não se estabelece plenamente em cinco ou dez anos. Precisamos fazer depósitos regulares ao longo da jornada para, assim, receber o máximo em dividendos, o que requer grande paciência da nossa parte.

Quando minha filha nasceu, há dezesseis anos, ingressei numa jornada que se estende até hoje. Será assim também pelos próximos oito ou dez anos, até que ela se torne plenamente adulta; e ainda serei seu pai. É algo que não se acaba. Mas minha relação com ela evoluirá e, depois desse tempo, o investimento que venho fazendo alcançará seu pleno potencial. Para garantir os melhores resultados no futuro, devemos permanecer fielmente comprometidos com nossos filhos por um tempo bastante extenso.

Se seu filho é pequeno, seu prazo de investimento está só começando e se estenderá ainda por uns vinte anos. Do ponto onde você está agora até a plena maturidade relacional, haverá muitos dias difíceis. Em alguns momentos, você terá a impressão de que não há avanço e de que tudo o que deposita na conta de seu filho não tem serventia nenhuma. Mas, mesmo durante a Grande Guinada e em outras fases adversas, sua consistência paciente produzirá crescimento. Você deve manter o foco no resultado, no prêmio final.

Caso seu filho seja adolescente e só agora você esteja despertando para a urgência desse compromisso, o prazo de investimento é menor. Mas ainda é possível fazer alguma coisa. Tempo é essencial: num piscar de olhos, aquele que até ontem era um bebê pulará para fora do ninho, rumo ao mundo de verdade. Contudo, você ainda pode fazer a diferença nos próximos anos, investindo diariamente em seu filho, com amor e sabedoria.

Investir em um filho é algo que demanda enorme paciência. Em 2008, a bolsa de valores dos Estados Unidos quebrou e todo o mercado imobiliário veio abaixo. Sem ver perspectivas de melhora e preocupada com a possibilidade de perder quantias de dinheiro ainda maiores, muita gente entrou em desespero e se apressou em sacar seus fundos de aposentadoria. Essas pessoas agiram dominadas pela emoção, não pela razão. Porém, alguns investidores pensaram diferente e, de modo bastante sábio, advertiram que era preciso ter calma, deixar o dinheiro intacto e esperar o mercado se recuperar. Por quê? Porque ele sempre se recuperava. A história do país mostrava que, depois de toda recessão, o mercado se reerguia. Houve até quem recomendasse a compra de ações nesse período, pois elas estavam com um bom preço e voltariam a se valorizar. Todo mundo que seguiu esse conselho viu seus recursos se avolumarem ao máximo poucos anos depois.

Infelizmente, vivemos numa cultura pouco paciente. Ficamos inquietos quando temos de esperar um café no Starbucks, quando aguardamos na fila do mercado, quando temos de passar por locais em obras e até mesmo quando estamos num restaurante durante as férias. Como pais e mães, é comum cedermos à impaciência, inclusive no que diz respeito aos investimentos de longo prazo em nossos filhos. Quando nossa relação com eles passa por alguma crise, ficamos em pânico. Alguns de nós começam a se exceder ou a intensificar o rigor da disciplina, recorrendo à autoridade do Comandante ou do Inspetor por receio de perder o controle. Outros se tornam Sonhadores ou Amigões, numa tentativa desesperada de encontrar a saída na simpatia dos filhos.

A dica é simples: mantenha-se paciente. Siga seu curso educando seus filhos com uma mistura equilibrada de disciplina, intencionalidade, amor e orientação.

Consistência

Ao investir na vida de nossos filhos, não basta que esperemos a passagem do tempo e ansiemos desfrutar um bom relacionamento com eles. Devemos usar bem esse tempo, fazendo depósitos saudáveis de maneira regular.

A consistência é o segredo de todo bom investidor. Lembra-se da lebre e da tartaruga? A segunda só ganhou a corrida porque foi consistente, mantendo o curso enquanto a adversária tirava um cochilo. Nosso contínuo investimento de amor, tempo, amparo, limite e tudo o mais é especialmente significativo durante as fases difíceis porque é nelas que nossos filhos estão sujeitos a fazer escolhas penosas. Pode ser que nos sintamos um verdadeiro fiasco, mas eles também experimentam essa sensação. Se nos mantivermos consistentes ao passar por dias e fases mais severos, colheremos bons resultados.

Se você já está há muito tempo na jornada parental e só agora começa a rever as coisas, vai ser doloroso. Certa vez, resolvi correr uma meia-maratona em Indianápolis e, ainda que tivesse me preparado para a prova, não foi nada fácil. Os primeiros onze quilômetros foram excruciantes: meu corpo parecia agonizar, e cada passo causava extrema dor. Mas meu objetivo era terminar a corrida, então prossegui. Fixei a mente na linha de chegada em vez de enfocar a dor que acometia minhas pernas e pés. Então, algo surpreendente aconteceu quando iniciei o décimo segundo quilômetro: atingi aquilo que chamam de *runner's high*, uma espécie de contentamento que parece nos deixar mais soltos. Meu corpo se "encaixou" melhor, e de repente tive a sensação de estar correndo no ar. No fim das contas, fiz um bom tempo de corrida e me senti ótimo. Se tivesse desistido nos primeiros onze quilômetros, nunca teria experimentado aquela alegria tão motivadora nem cruzado a linha de chegada.

Na criação de filhos (e na vida em geral), o segredo está na consistência.

Mantenha os olhos no alvo

Muitos pais e mães se perguntam: "Se eu investir em meus filhos por anos a fio, que futuro posso esperar?". Não há uma relação pai-filho ou mãe-filho igual a outra. Conheci muitos pais e mães que experimentaram conflitos com os filhos adolescentes e que, tendo estes atingido a maturidade, se reconciliaram, alcançando uma relação saudável. Foi o que aconteceu comigo e com meu pai. Depois de um passado difícil, agora falo com ele quase toda semana, e apreciamos a companhia um do outro. Amo meu pai, e ele me ama.

Também vi relacionamentos em que pais e mães se deram muito bem com os filhos durante a adolescência mas depois as coisas desandaram. Não podemos prever que rumo terão nossas relações, assim como não se pode prever o que será do mercado de ações daqui a um tempo. Entre a adolescência e a vida adulta, há vários fatores que desconhecemos. Todavia, posso dizer que já vi muitas histórias de sucesso envolvendo pais e mães que escolhem investir nos filhos oferecendo-lhes, durante a infância, tempo, amor, influência, limites e muito mais. Em particular, pais e mães são bem-sucedidos quando entendem e reconhecem a Grande Guinada; quando evitam as armadilhas do Comandante, do Inspetor, do Amigão e do Sonhador; e quando optam por inspirar os filhos.

Você provavelmente deseja ter uma relação saudável com seus filhos quando eles forem adultos, um relacionamento de parceria com aqueles que um dia foram os bebezinhos que você trouxe ao mundo, recebeu em sua casa e criou até a vida adulta. Como já comentei, nunca conheci um pai ou uma mãe que tenha olhado para o bebê recém-nascido ou para a criança recém-adotada e afirmado: "Puxa, tomara que eu estrague essa criança!". Todos queremos que, no fim das contas, tudo saia como num filme digno do Oscar. Queremos olhar para trás um dia e pensar: "Fiz um bom trabalho!".

Portanto, em tudo que fazemos a nossos filhos hoje, devemos manter os olhos focados no futuro. Cada pequeno depósito no coração deles deve ser guiado pela pergunta "Que resultado espero alcançar?". Há uma verdade poderosa nesta afirmação da minha esposa: "Não estamos criando crianças; estamos criando adultos!". É difícil lembrar-nos disso em dias sombrios e ter em mente que não devemos esperar por resultados rápidos. Os resultados virão, mas é preciso percorrer a estrada primeiro. Então, seremos bons amigos daquela nossa menininha ou daquele nosso garotinho. Isso só acontecerá depois que consistentemente lhes dedicarmos tempo durante a infância, depois, na Grande Guinada da adolescência, e até a vida adulta.

Não desista do amor nem da disciplina amorosa. Manter os olhos sempre fixos no futuro durante a criação de filhos é o que garantirá boas recompensas.

Enquanto escrevo isto, desfruto férias de uma semana com minha família, na Flórida. Escrevo de manhã bem cedo, enquanto o pessoal ainda está dormindo. Precisávamos muito dessas miniférias! Enfrentamos um inverno bastante intenso e prolongado onde moramos; de fato, ainda neva por lá, e olha que a primavera já começou! Aqui na Flórida está fazendo 27°, e há bastante sol. Meus cunhados e sobrinhos também estão conosco, e Kristin já teve boas conversas de amiga com a mãe enquanto lavava roupas ou fazia algo na cozinha. Elas contam tudo uma para a outra. Esse é o valioso dividendo de um investimento de longo prazo.

Uma noite, quando estávamos todos juntos conversando sobre a infância de Kristin, surgiu o tema da influência. Minha sogra, compartilhando algumas histórias engraçadas sobre limites e disciplina, falou de quando decidiu sair regularmente com Kristin para tomarem café juntas, na época em que a filha estava terminando o ensino médio. Ela sabia que Kristin logo sairia de casa; então, separou tempo para investir na filha antes que esta chegasse à vida adulta. Por fim, minha esposa comentou que apreciava muito aqueles momentos na companhia da mãe.

Quanto mais extenso e mais focado for o investimento que fizermos em nossos filhos, melhores serão os dividendos que nossa relação com eles revelará no futuro.

PAUSA PARA REFLEXÃO

1. Por que é importante criar filhos sob uma perspectiva de longo prazo?

2. Reflita sobre sua parentalidade. Que dividendos você espera obter no futuro, quando seus filhos estiverem crescidos?
3. O que você está fazendo agora para garantir que o investimento na vida de seus filhos tenha ótimos rendimentos futuros?

16

A direção determina qual será o destino

Indo além das boas intenções

Tenho sangue vermelho e cinza, as cores do meu time de futebol americano, o Ohio State Buckeyes. Cresci perto de Cincinnati, nas margens do rio Ohio, no vilarejo de New Richmond, onde torcer pelo Ohio State é quase uma religião. Minha esposa cresceu em Westerville, também no estado de Ohio, onde adeptos dessa religião odiavam os rivais, isto é, o time do Michigan Wolverines. Os dias de jogos eram sagrados, e, para nós, Woody Hayes (técnico do Ohio State) não se assentava à direita de Deus, mas ocupava um lugar bem perto disso. Talvez você pense que estou exagerando, mas qualquer pessoa nascida em Ohio atestará a seriedade dos fãs dos Buckeyes.

Adoro lotar o carro de amigos vestidos nas cores do time numa manhã de sábado em pleno outono e pegar a rota I-70 na direção leste, de Indianápolis até Columbus, a querida capital do nosso estado. Cem mil torcedores fanáticos se encaminham para o Ohio Stadium, nossa meca, conhecida como Ferradura, para gritar até ficarem roucos. Não há nada que se compare, e procuro participar desses espetáculos pelo menos uma vez a cada campeonato. Até mesmo gente que não torce para os Buckeyes já me disse que estar na Ferradura em dia de jogo supera qualquer coisa que já tenham experimentado.

Imagine que, numa dessas belas manhãs de sábado, eu vista minha camisa dos Buckeyes, coloque em volta do pescoço meu cordão com o brasão do time e pegue a I-70 na direção *oeste*, rumo a St. Louis, no Missouri. O que vai acontecer? Bem, posso afirmar o que *não* vai acontecer: não vou chegar ao jogo do Ohio State porque estarei seguindo na direção errada. Posso *querer* seguir pela direção certa. Posso *esperar* dirigir na direção certa. Posso *dizer* que estou na direção certa. Posso até *orar* para que esteja na direção certa. Mas, a menos que pegue a primeira saída, faça o retorno e dirija de volta para o leste, nunca chegarei ao destino que almejo.

Tem a ver com direção, e não apenas com intenção

O escritor e pastor Andy Stanley fala em "princípio do caminho": "A direção, e não a intenção, é que determina qual será o destino".[1] Li isso em 2010 e é algo que ainda ressoa aqui dentro, pois se aplica a muitos aspectos da vida, incluindo a criação de filhos.

Pense em quantas vezes na vida *pretendemos* fazer algo — terminar uma reforma na casa, quitar as dívidas, cuidar melhor da saúde, passar mais tempo com a família —, mas isso nunca se torna realidade. E por que não? Na maioria das vezes, é porque tomamos a direção errada. Se temos a intenção de eliminar quinze quilos mas continuamos comendo no Starbucks ou no McDonald's, estamos na direção oposta da perda de peso. Se queremos acabar com as dívidas mas continuamos pagando tudo na base do crédito em vez de usar dinheiro vivo, estamos na direção oposta da liberdade financeira. Em setembro de 2016, decidi acrescentar um cômodo à nossa casa. O que era previsto para uns poucos dias nos tomou semanas e, depois, meses. Eu *pretendia* terminar o cômodo novo, mas não estava seguindo na direção certa.

Podemos passar anos na intenção de fazer tudo certo com

nossos filhos, mas, se não dermos nenhum passo nessa direção, nunca alcançaremos o destino pretendido. Se meus filhos insistem em cruzar os limites que estabeleci, devo insistir em reforçar as consequências de tal atitude. Se desejo criar pessoas de bom caráter, devo dar o exemplo, tanto como indivíduo quanto em família. Se quero ter uma amizade saudável com meus filhos quando forem adultos, devo demarcar agora o destino que almejo alcançar e inspirá-los consistentemente, guiando-os ao longo da infância e da adolescência. Isso é tarefa árdua, em especial quando receamos perder a influência e somos tentados a ceder a um dos quatro modelos ineficazes de parentalidade. Mas qualquer um desses modelos — Sonhador, Amigão, Comandante e Inspetor — nos fará desviar e nos privará de chegar aonde queremos. Essas abordagens equivocadas são comumente banhadas de boas intenções, mas lhes falta direção legítima.

Caímos facilmente no padrão que apregoa boas intenções sem colocá-las em prática. Há pouco tempo, minha filha de 16 anos lembrou que, quando ela ainda era uma garotinha de 4 anos, prometi levá-la para um passeio de balão na companhia da irmã. Lembrei que aquilo havia ocorrido num dia quente de verão, quando avistamos um balão ao longe. Entusiasmado, fiz as meninas e os irmãos mais novos entrarem em nossa *van* e, então, seguimos na direção do balão. Poucos quilômetros distante dali, assentados no estacionamento de uma igreja, assistimos ao balão voando no tranquilo e abafado céu do Meio-Oeste. Eu estava com as meninas no colo quando sussurrei a elas aquela promessa.

Quase catorze anos depois, nada havia se concretizado. Minhas intenções eram boas, nobres e carinhosas; mas não dei nenhum passo na direção certa.

A intensidade da influência que exercemos como pais e mães depende da direção em que nos movemos agora, tanto como indivíduos quanto com nossos filhos. Lembre-se disso. É muito fácil começar com intenções amorosas e, então, tomar o caminho da negligência no que se refere a convicções, valores e promessas. Vivemos num tempo em que abandonar valores e promessas é tão comum quanto respirar. Veja a taxa de divórcio nos Estados Unidos, por exemplo. Mais de 40% dos casamentos terminam em separação.[2] Na ocasião da cerimônia de casamento, esses casais de fato tinham a intenção de permanecer casados, mas depois acabaram se desviando da direção em que deveriam se manter para fazer valer sua promessa. Algo bem parecido acontece com as taxas de evasão de faculdades e mudanças de carreira pouco significativas. Não há dúvida de que realizar movimentos genuínos na direção correta se tornou um grande desafio para quem tem filhos.

Conduzir implica ir junto

Já falamos sobre a importância dos limites para nossos filhos. Mas o que dizer sobre limites para nós, pais e mães? O fato é que não podemos conduzir ninguém se nós mesmos não seguimos pelo caminho traçado. Tampouco podemos influenciar os filhos com algo pelo qual não somos influenciados. Se pretendemos guiá-los numa direção específica, mas não nos movemos igualmente nessa direção, nossa liderança e influência é nula.

Muito tempo atrás, ouvi de meus pais: "Faça o que digo, não o que faço!". Você também deve ter ouvido isso. Deixe-me dizer de outro modo: "Eu sou o pai (ou a mãe). Quem manda sou eu. Você é o filho, então não manda nada aqui. Estou dizendo para fazer isso, não importa se o faço ou não. Você tem de obedecer porque é uma ordem!".

Essa é uma maneira nada saudável de criar filhos; é o cúmulo da hipocrisia, e não causa benefício nenhum. Eles reconhecem a verdade. Pais e mães realmente influentes não esperam que os filhos vivam segundo padrões distintos dos seus; antes, almejam que os filhos façam o que lhes é dito *justamente porque* em casa há exemplos de como seguir tais instruções. Isso se chama integridade e é parte crucial da influência parental.

Viver conforme um padrão diferente daquele que estabelecemos para nossos filhos — ou seja, com dois pesos e duas medidas — é se deslocar para *longe* do destino pretendido, e não na direção dele. Se não me movo rumo ao destino que quero que meus filhos alcancem, não posso me surpreender ao notar que eles tampouco se movem em tal direção. E, caso eles venham a seguir um caminho que não nos viram trilhar, isso acontecerá a despeito de nós, não por nossa causa.

Quero dar um exemplo de algo que ocorreu comigo e com Kristin. Não somos boas referências no que diz respeito a compromisso com a igreja depois de alcançar a vida adulta. Quando éramos crianças, a igreja era tudo para nós. Amávamos o grupo infantil e éramos os primeiros a chegar para o culto e os últimos a sair. Mas, depois de duas décadas de vida adulta marcadas por experiências eclesiásticas dolorosas, nós nos descobrimos feridos e decepcionados. Cooperei com quatro congregações desde que me graduei na faculdade até 2014. Em três delas, vivenciei coisas devastadoras. Entre 2015 e 2017, Kristin serviu em equipes de apoio em duas igrejas; em uma delas, a experiência foi ótima; na outra, houve abuso de liderança. Nossos filhos acabaram se tornando, por tabela, vítimas de nosso sofrimento e angústia. Eles amavam a igreja; tiveram relacionamentos significativos no ambiente eclesiástico — mesmo quando Kristin e eu passamos por dificuldades — e se magoaram nas vezes em que as coisas saíram mal.

Quando conhecemos nossa última igreja, gostamos muito dali e, entusiasmados, logo nos lançamos ao ministério. A congregação ficava no centro da cidade e atuava com pessoas em situação de vulnerabilidade, gente de áreas pobres, e isso era algo que nos deixava apaixonados. Mas, depois de um ano e meio, a situação desandou. Companheiros de equipe, igualmente apaixonados por aquele trabalho, acabaram jogando a camisa em razão do ambiente tóxico em que atuavam. Kristin e eu fizemos o mesmo. Tanto nós quanto nossos filhos ficamos desolados. A sensação era a de não haver mais lugar para nós na igreja.

Quero ser bem claro aqui. Nós amávamos a igreja, acreditávamos nela; adorávamos e seguíamos a Jesus com toda devoção. Mas a igreja nos sujeitou a experiências muito dolorosas. Vimos pessoas queridas receberem um tratamento horrível sem que houvesse razão para tal. Além disso, muitas vezes, o testemunho que víamos de alguns cristãos e aquilo que ouvíamos falar de Jesus não lembravam em nada o Jesus retratado na Bíblia. Isso nos desgastou e abateu. Optamos por dar um tempo. Somos seguidores de Cristo, mas, naquele período, não conseguimos sequer entrar em outra igreja. O que tínhamos experimentado fora muito penoso, e não queríamos mais nos envolver em picuinhas. Queríamos ser parte de uma igreja que encarnasse o Jesus da Bíblia.

Nesse meio-tempo, pretendíamos fazer devocionais familiares e convidar amigos para cultos domésticos uma vez por semana. Mas nossas boas intenções não estavam solidamente apontadas para a direção certa. Chegamos a passar semanas sem nos reunir como família a fim de ler as Escrituras. Praticar o que a Bíblia ensina é importante para Kristin e para mim também, mas não persistimos em nossos valores. Poucos meses depois, percebemos que a conduta de nossos filhos começou a vacilar, sobretudo no que dizia respeito à fé. Minha esposa e eu notamos que nossas próprias atitudes iam de mal a pior, o que se refletia neles.

Tivemos de enfrentar uma dura realidade, e ninguém além de nós era responsável por ela. Nós, os adultos, não estávamos servindo de modelo para aquilo que esperávamos que nossos filhos pensassem e vivessem. As boas intenções que nutríamos no sentido de inspirá-los quanto à vida espiritual não eram nada sem que nós mesmos nos movêssemos na direção correta. Tivemos de nos submeter a sérias mudanças, pois nossos filhos não aderiam à nossa fraca tentativa de conduzi-los na direção de uma fé sólida.

Hoje, somos parte de uma amável e autêntica comunidade de cristãos situada perto de casa, gente com quem já havíamos trabalhado. Não poderíamos estar mais gratos por isso. O comportamento de nossos filhos melhorou, e temos evoluído como família. Porém, não consigo deixar de estremecer ao lembrar como minhas intenções desorientadas colocaram em risco a alma dos meus filhos.

Parentalidade intencional *versus* boas intenções

É importante distinguir entre *parentalidade intencional* e criação de filhos com meras boas intenções. A primeira tem a ver com propósito, direção e persistência. Trata-se de definir o caminho que desejamos para nossa família e ater-se a ele. Trata-se de guiar consistentemente nossos filhos com vistas à formação de um bom caráter, valores e integridade. Trata-se de resistir à abordagem do Amigo e à do Sonhador e não ceder aos modos Comandante e Inspetor.

A criação de filhos que se baseia apenas em boas intenções é o oposto disso. Boas intenções podem ser uma celebração à *ideia* da parentalidade saudável, mas ficam aquém da ação e do compromisso necessários para que tal ideia se concretize. Repetindo: podemos pretender alcançar determinado destino, mas, se não começarmos de fato a nos mover em tal direção, nunca chegaremos lá. Comprometa-se com a parentalidade intencional, e não com a criação de filhos baseada em boas intenções somente.

Meu desejo para você é simples: que você esteja determinado a exercer boa influência sobre a vida de seus filhos. E que faça isso escolhendo agora mesmo — quer eles estejam começando a andar, quer já tenham atingido a adolescência — orientar e amar com intencionalidade, direção e propósito.

PAUSA PARA REFLEXÃO

1. Você está se movendo na direção do destino que deseja para seus filhos e sua família? Por quê?
2. Você tem criado seus filhos intencionalmente? Ou os educa com boas intenções apenas? Por qual razão?
3. Separe algum tempo para avaliar eventuais necessidades de mudança de direção ou simplesmente para reafirmar a direção em que está seguindo. Que compromissos você vai assumir de agora em diante?

17

Faça valer a pena

Há muito tempo, numa galáxia muito, muito distante, imaginei os rumos que considerava dar à minha vida — carreira, família e tudo o mais. Eu tinha um plano de cinco etapas, e nada poderia me impedir de colocá-lo em prática. Então surgiu uma loira exuberante, jovem, de olhos azuis, e acreditei firmemente que Deus a enviara para arruinar meus melhores projetos, pois, sendo bem sincero, eles eram bastante egoístas. Minha imaginação deixava pouquíssimo espaço para planos alheios. Eu só olhava para meu próprio umbigo e me sentia perdido; na verdade, ainda lido com isso às vezes.

Numa noite fria de novembro, Kristin afirmou categoricamente que teríamos filhos adotivos, ao que resisti. Eu não podia compreender como seria possível amar alguém que não descendesse biologicamente de mim. Não podia estar mais errado!

Eu não era contra a adoção, apenas não entendia como isso funcionava. Minha família de origem seguia a moda antiga (ou, nas palavras de um amigo, "a moda divertida"). Então, empenhei-me em planos minuciosos e apeguei-me àquilo em que acreditava quanto aos rumos da minha vida. Felizmente, Kristin venceu a batalha. Nós não apenas adotamos como *só* tivemos filhos adotivos. E são oito! Hoje, o mais novo tem 8 anos e a mais velha (adotada quando tinha 24 anos) tem 32. É uma bela diferença!

Nunca imaginei viver o enredo de nossa biografia. Mas posso afirmar do fundo do coração que não poderia ter escrito uma história melhor que a nossa. Meus melhores planos e intenções desaparecem quando comparados com o que vivemos. Eu receava não conseguir amar um filho adotivo, mas agora não consigo entender como alguém pode não experimentar esse amor. Até mesmo enquanto digito estas palavras, oito rostos piscam como *flashes* em minha mente, e eu os amo mais do que consigo descrever. Eu atravessaria o oceano a nado por qualquer um deles. Eles são meus.

Conheço o lado sombrio da paternidade. Cometi mais erros do que sou capaz de enumerar. Falhei muitas vezes com meus filhos. Tive de ser humilde e pedir que me perdoassem. Deixei-me levar pelos sermões, pelo desdém e pelo controle a todo custo. E tentei ser camarada, idealizei muitas coisas, e assim por diante. Nada disso funcionou.

Quando parei de lutar para vencer disputas com meus filhos e, em vez disso, redefini minha perspectiva sobre o coração deles, tudo mudou. Meu amor não se baseia em como eles se comportam nem em quem estão se tornando. Vejo a genialidade deles. Vejo como é bela a alma de cada um. Vejo o coração deles e amo o que encontro ali. No fim da vida, prefiro conhecê-los íntima e profundamente a ter conseguido provar um ponto de vista irrelevante. Esse conhecimento vale toda a pena.

O coração de um filho vale qualquer esforço

O coração de um filho é incrivelmente valioso, e vale a pena travar a batalha certa para conquistá-lo. O que faz esse coração bater? O que o faz brilhar? O que o assola? Quais são seus sonhos mais malucos? Quero saber essas coisas. Quero passar todo tempo que puder na companhia dos meus filhos para descobrir as respostas a essas perguntas. Quero proteger e defender o que está abrigado nesses corações. Quando o mundo frio e hostil lhes disser que não são bons, espertos, bonitos, interessantes ou talentosos o bastante, quero que saibam que o Papai acredita que eles são tudo isso, sim, sem sombra de dúvida. Quero que sempre estejam certos de que os aprecio muito.

Não desejo ganhar uma discussão tola ou provar um argumento caso isso signifique perder o coração de meus filhos. Seria um preço alto demais.

O futuro de um filho vale qualquer esforço

Quem meus filhos se tornarão? Em que medida eles vão mudar o mundo? Que impacto terão na vida de outras pessoas? Como defenderão os vulneráveis e marginalizados? Que marca deixarão?

Desejo que eles saibam que têm o futuro nas mãos e que Papai e Mamãe estarão aqui, na torcida, independentemente de qualquer coisa. Desejo assegurá-los de que seus erros, suas falhas e fracassos não os definem nem determinam o que viverão no futuro. Quero que se lancem no mundo com plena confiança no amor que temos por eles. E quero que saibam que a porta de casa nunca estará fechada. Sempre haverá um lar para acolhê-los. O futuro deles vale toda a pena.

As histórias de um filho valem qualquer esforço

Vale a pena lutar pela bela, surpreendente, brilhante, gloriosa, divertida, inspiradora e motivadora história contida no coração de cada um de meus filhos. Com tudo o que sou e vier a ser, quero defender cada história dessas.

Não posso entender como alguns pais e mães forçam os filhos a seguir a mesma profissão que escolheram, impõem que façam determinado curso na faculdade, insistem em interferir nas amizades e no namoro dos filhos. Não entendo por que não conseguem recuar, soltar as rédeas, permitir que os filhos adultos sigam o caminho que bem entenderem ou para o qual têm aptidão. Evidente que há situações em que todo pai e toda mãe têm de se envolver — caso o namoro ou as amizades sejam nocivos, destrutivos, por exemplo —, mas isso é exceção, e não regra.

Há tempos conheço e admiro uma família cujos filhos vi crescer. O pai sempre disse: "Eles têm a vida deles e podem ser quem quiserem ser. Celebramos a escolha de cada um e acreditamos nela. Desde o primeiro dia, nós os entregamos nas mãos de Deus. Nossos filhos são dele". Isso é que é confiança. Hoje, os três filhos do casal têm uma vida íntegra, alegre, autônoma, cada qual com sua própria família, uns morando nos Estados Unidos e outros fora. O legado que esse casal forjou na vida dos filhos já está sendo vivido intensamente pelos netos.

Proteger e apoiar a história de um filho é a única maneira de educar alguém que aprecie a própria vida. Conheço muitos pais e mães que tentaram forçar seus planos e intenções goela abaixo nos filhos e acabaram com qualquer possibilidade de vínculo e proximidade. Pergunto: valeu a pena?

Espero que meus filhos vivam as histórias para as quais foram chamados, histórias que desejem protagonizar. Contanto que tenham boa índole e vivam com integridade, não me importo com o que escolham se tornar. A história deles vale a pena.

Nossa família vale qualquer esforço

Sempre vou querer voltar para casa, pois amo a família maravilhosa, falha, em-eterna-manutenção, divertida e perfeitamente imperfeita com que Deus me abençoou. Ainda que tenhamos passado por ocasiões extremamente difíceis, eu não gostaria de ter outra vida. Isso é família, algo que não foi planejado para parecer capa de revista nem comercial de margarina. Se você discorda, é previsível que venha a se frustrar ou decepcionar. Por que não apreciar o que já é seu em vez de esperar algo do qual se julga merecedor? Sua família vale a pena.

Luto diariamente pelo coração de meus filhos. Luto para amá-los com toda intensidade. Luto para que, noite e dia, eles saibam que são apreciados e queridos. Luto a fim de que saibam que estamos sempre na retaguarda, na torcida, disponíveis para eles. Luto para protegê-los contra um mundo solitário que ameaça derrotá-los e causar-lhes grande insegurança. Luto para lembrá-los de como são geniais, encantadores e admiráveis, ainda que pensem o contrário.

Até mesmo quando lutamos, nós o fazemos para conquistar o coração de nossos filhos.

Nessa jornada a que denominamos criação de filhos, essa é a batalha mais importante a ser vencida.

Notas

Capítulo 1
[1] Reggie Joiner e Carey Nieuwhof, *Parenting Beyond Your Capacity: Connect Your Family to a Wider Community* (Colorado Springs: David C. Cook, 2010), p. 100.
[2] Idem.

Capítulo 3
[1] Chrissy Gordon, "Key Findings in Landmark Pornography Study Released", *Josh McDowell Ministry*, 19 de jan. de 2016, <https://www.josh.org/key-findings-in-landmark-pornography-study-released>.
[2] Mike Berry, "Parenting on Purpose Part 2: Creating Boundaries for Your Children (podcast)", *Confessions of an Adoptive Parent* (blog), 2 de jun. de 2016, <https://confessionsofanadoptiveparent.com/parenting-on-purpose-part-2-creating-boundaries-for-your-children-podcast>.

Capítulo 6
[1] Carl E. Pickhardt, "Adolescence and the Influence of Parents", *Psychology Today*, 18 de out. de 2010, <https://www.psychologytoday.com/us/blog/surviving-your-childs-adolescence/201010/adolescence-and-the-influence-parents>.
[2] Idem.

Capítulo 7
[1] Joiner e Nieuwhof, *Parenting Beyond Your Capacity*, p. 62.
[2] Idem, p. 63.

Capítulo 8
[1] Joiner e Nieuwhof, *Parenting Beyond Your Capacity*, p. 135.
[2] "Social Media – Statistics and Facts", Statista, <https://www.statista.com/topics/1164/social-networks>.
[3] "Number of Monthly Active Instagram Users from January 2013 to June 2018", Statista, <https://www.statista.com/statistics/253577/number-of-monthly-active-instagram-users>.

[4] "Most Famous Social Network Sites Worldwide as of July 2018, Ranked by Number of Active Users", *Statista*, <https://www.statista.com/statistics/272014/global-social-networks-ranked-by-number-of-users>.

[5] Linda Blake e Ben Worthen, "Distracted: Texting While Parenting", *Wall Street Journal*, 28 de set. de 2012, trecho de vídeo iniciado em 5'48": <https://www.wsj.com/video/distracted-texting-while-parenting/36646FB6-F606-4ED1-8CF1-02CDCDA5F772.html>.

Capítulo 9

[1] Jen Hatmaker (@jenhatmaker), "Having Coffee with This Son", 10 de mar. de 2018,)(mar. de 2018. Disponível em: <https://www.instagram.com/p/BgJaUmgBnjO/?utmsource=igwebcopylink>.

Capítulo 10

[1] *Mr. and Mrs. Smith*, dirigido por Doug Liman (Los Angeles: Regency Enterprises, 2005).

Capítulo 13

[1] *Dead Poets Society*, dirigido por Peter Weir (Burbank, CA: Buena Vista Pictures, 1989).

Capítulo 16

[1] Andy Stanley, *The Principle of the Path: How to Get from Where You Are to Where You Want to Be* (Nashville: Thomas Nelson, 2008), p. 14.

[2] John Harrington e Cheyenne Buckingham, "Broken Hearts: A Rundown of the Divorce Capital of Every State", *USA Today*, 2 de fev. de 2018, <https://www.usatoday.com/story/money/economy/2018/02/02/broken-hearts-rundown-divorce-capital-every-state/1078283001/>.

Compartilhe suas impressões de leitura,
mencionando o título da obra, pelo e-mail
opiniao-do-leitor@mundocristao.com.br
ou por nossas redes sociais

Esta obra foi composta com tipografia Palatino e Europa
e impressa em papel Pólen Soft 70 g/m² na gráfica Imprensa da fé